D0987916

De spokenjagers en het griezelkasteel

Ander werk van Cornelia Funke

De dievenbende van Scipio (2003) Zilveren Griffel 2004
Thomas en de laatste draken (2004)
Hart van inkt (2005) Zilveren Griffel 2006
De Wilde Kippen Club (2006)
Web van inkt (2006)
De Wilde Kippen Club op schoolreis (2007)
De Wilde Kippen Club: Groot alarm! (2007)
Igraine Zondervrees (2008)
De spokenjagers (2008)
De Wilde Kippen Club: De hemel op aarde (2008)
Nacht van inkt (2008)
De spokenjagers en het vuurspook (2009)
De Wilde Kippen Club en de liefde (2009)
Potilla (2009)

Cornelia Funke

De spokenjagers en het griezelkasteel

Vertaald door Esther Ottens

Amsterdam · Antwerpen
Em. Querido's Uitgeverij BV
2010

Voor Elmar en Gitta

www.queridokinderboeken.nl
www.corneliafunke.nl

Oorspronkelijke titel *Gespensterjäger in der Gruselburg*
(Loehwe Verlag, Bindlach, 1995)

Omslag Nanja Toebak
Omslagillustratie Georgien Overwater

ISBN 978 90 451 1032 5 / NUR 282

Inhoud

Dit zijn (van rechts naar links) Hedwig Kummelsap, Hugo MES en Tom Tomsky. Je zou het misschien niet zeggen, maar ze vormen een van de beste spokenjagersteams ter wereld. Hedwig Kummelsap heeft al meer dan vijftig jaar ervaring op dit gebied. Tom Tomsky, haar menselijke assistent, moet bijna examen doen voor zijn SD-B (spokenjagersDiploma-B). En Hugo MES – tja, zijn hulp is natuurlijk van onschatbare waarde, aangezien hij als MES (Matig Eng spook) heel veel weet over zijn collega-spoken.
Maar, genoeg gepraat. Op de volgende bladzijden wordt een avontuur uit de doeken gedaan dat zelfs deze onverschrokken spokenjagers alleen met de moed der vertwijfeling wisten te doorstaan, want Kummelsap & Co krijgen deze keer te maken met een van de gevaarlijkste vertegenwoordigers van de spokenwereld.

Een roep om hulp

Op een middag in februari kwam het volgende bericht binnen op de computer van Hedwig Kummelsap, de beroemde spokenjaagster:

Geachte mevrouw Kummelsap!

Mijn naam is Theodoor Worm, en mijn vrouw en ik zijn allebei niet bijzonder bang uitgevallen. Maar wat ons de afgelopen dagen overkomen is, heeft onze zenuwen en onze gezondheid danig aan het wankelen gebracht. Een week geleden heb ik met mijn vrouw het beheer van Kasteel Duisterberg op mij genomen, eigendom van de familie Van Duisterberg tot Kikkerstein.

Bij aankomst kwam ons het gerucht ter ore dat op het kasteel sinds jaar en dag een spook actief is. Onze werkgever had ons daar niets over verteld, zodat we eerst geen aandacht schonken aan die praatjes. We leven tenslotte in de 21e eeuw.

Er gebeuren echter zoveel raadselachtige en griezelige dingen in dit kasteel dat we langzamerhand aan ons verstand beginnen te twijfelen. De DBBK (Dienst Bestrijding Burcht- en Kasteelspoken) heeft Kummelsap & Co aangeraden als een van de succesvolste spokenjagersteams. Helpt u ons, alstublieft! We zijn radeloos!

Hoogachtend (en geheel van streek)
Uw Theodoor en Amalia Worm

Veel informatie was het niet, maar dat waren de spokenjagers van Kummelsap & Co wel gewend van hun angstige cliënten. Nadat ze een paar keer vergeefs hadden geprobeerd het echtpaar Worm aan de telefoon te krijgen, ging het drietal zonder dralen op pad – met in de kofferbak hun basisuitrusting voor de spokenjacht, een paar speciale dingen voor de bestrijding van historische spoken en Toms splinternieuwe computer, waarop hij alle gegevens van het ONS (ONderzoeksinstituut voor spokenbestrijding) kon raadplegen.

Het was een grijze, koude winterdag en de regen kwam met bakken uit de hemel toen Hedwig Kummelsap met haar oude autootje het dorp Duisterstein in reed.

'Ik zie helemaal geen kasteel,' zei Tom Tomsky, die zijn neus tegen de beslagen autoruit drukte. 'Alleen een kerk, twee banken en een friettent. Ook geen bord met *Kasteel die kant op* of zo.'

Hedwig Kummelsap zette haar auto aan de stoeprand. 'Tja,' zei ze, 'dan moeten we het maar even vragen. Hugo, verstop je.'

'Joehoeoeoe,' suizelde Hugo terwijl hij onder de achterbank verdween.

'Neem me niet kwalijk.' Hedwig Kummelsap deed haar raampje omlaag en glimlachte naar een man die met een kletsnatte teckel met grote passen over de stoep beende. 'We zoeken het kasteel van baron Van Duisterberg.'

De man ging van schrik bijna op zijn teckel staan. Hij slikte, keek om zich heen, boog zich naar Hedwig Kummelsap toe en fluisterde: 'Wat wilt u daar dan?'

'O, ik moet er voor zaken zijn,' zei Hedwig Kummelsap.

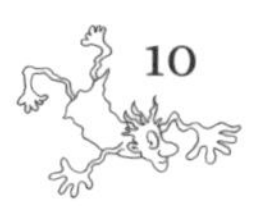

'Lieve hemel, bent u soms levensmoe?' siste de man. 'Keer om en ga naar huis, zolang u nog helemaal bij uw verstand bent.'

'Dank u voor de goede raad,' zei Hedwig Kummelsap, 'maar maakt u zich om mijn verstand maar geen zorgen. Ik wil alleen weten hoe ik er moet komen. Kunt u me helpen of niet?'

De man haalde zijn schouders op en wees recht vooruit. 'De eerste rechts, tweede links en dan almaar rechtdoor tot...'

Hij keek met open mond langs Hedwig Kummelsap heen.

'Rechtdoor tot?' vroeg Hedwig Kummelsap. 'Tot waar?'

'Daar!' fluisterde de man, wijzend naar de witte vingers die mevrouw Kummelsaps hoedje heel langzaam optilden. Zijn teckel legde zijn kop in zijn nek en begon te janken.

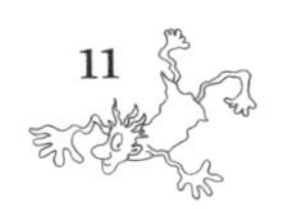

'Dat? Ach, gewoon niet op letten!' Hedwig Kummelsap sloeg Hugo geïrriteerd op zijn ijskoude zwabbervingers. 'Rechtdoor tot waar?'

Maar de man kreeg geen woord meer over zijn lippen. Met open mond stond hij te kijken, terwijl zijn hond de lijn om zijn benen draaide.

'Tot wahaaaar?' suizelde Hugo en blies de arme man zijn schimmeladem in het gezicht. 'Zeg nouhouhou, of moet ik u sohoms 'n beutje kietelehehen?'

'Re-re-rechtdoo-doo-door to-to-tot aan de bushalte, da-dan het landwe-weggetje in,' stotterde het baasje van de teckel.

'Dank u,' zei Hedwig Kummelsap. Ze deed vlug het raampje dicht en gaf gas.

De arme man stond hen in de regen verbijsterd na te kijken.

Hugo zwaaide naar hem door de achterruit. 'Joehoehoe!' joelde hij, 'moehoet je die ziehiehien!'

'Hé, ben jij wel helemaal lekker?' viel Tom uit. 'Kan je die domme spokengrappen niet eens een keer voor je houden?'

'Watten,' zei Hedwig Kummelsap. Met piepende banden reed ze de eerste zijstraat in. 'Dat MES heeft alleen maar watten in zijn kop. Eerste rechts, tweede links. Tom, zie jij die bushalte ergens?'

'Ondankbaar stelletje,' mopperde Hugo. 'Jullie zijhijn ondankbaar tot en mehehet.'

'Ach, hou je mond, irritant spook,' zei Tom. 'Ik hoop maar dat je op dat kasteel niet de hele tijd zo vervelend doet. Daar!' Hij veegde met zijn mouw over de beslagen voorruit. 'Daar is de bushalte – en daar is het veldweggetje. Bij die omgevallen wegwijzer.'

Hobbelend reed Hedwig Kummelsap het drassige weggetje af. Hugo zwabberde over de achterbank als een schimmelgroene drilpudding.

'Ik ben misseloik,' kreunde hij. 'Ik ben zohoooo misseloik!'

'Net goed,' zei Tom. En toen zei hij: 'Gossiemijne!'

Voor hen lag Kasteel Duisterberg.

Groot en grijs stond het daar, omringd door een zwarte slotgracht waarin de met klimop begroeide muren weerspiegeld werden.

'Gossiemijne!' zei Tom nog een keer.

Mevrouw Kummelsap bracht de auto voor de ophaalbrug slippend tot stilstand.

De regen droop van de griezelige tronies die boven de poort hun stenen tanden lieten zien.

'Loik hier,' zei Hugo. 'Echt heul gezellig.'

'Gezellig is niet echt het woord dat mij te binnen schiet,' zei Tom. Hij viste zijn rugzak van de achterbank, trok zijn capuchon over zijn hoofd en maakte het portier open. De regen sloeg hem in het gezicht en de wind rukte aan zijn jas. Tom legde zijn hoofd in zijn nek en keek op naar de torens van het kasteel. Als lansen priemden de met ijzer beslagen spitsen in de hemel.

'Indrukwekkend wel, hè?' Mevrouw Kummelsap haalde de tassen met spullen uit de kofferbak en gaf Tom zijn computer. 'Kom, de rest van de bagage halen we later wel.'

Kordaat stapte ze op de ophaalbrug af. Tom keek zoekend om zich heen naar Hugo, maar die was nergens te bekennen.

'Hé Hugo!' Hij klopte op zijn rugzak. 'Kom eruit, nu! Ga maar ergens anders zitten slijmen.'

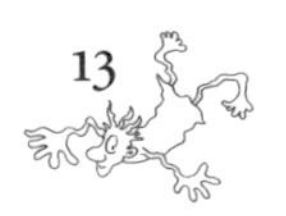

Hugo zwabberde de rugzak uit. 'Gemeun hoor. Het is veuheuls te licht, veuls te licht!' jammerde hij. 'En dan diehie vroiselijke wind!'

Tom schudde zijn hoofd en liep achter Hedwig Kummelsap aan de brug over. De ronde, uitgesleten balken waren glad van de regen.

Tom keek over de leuning naar het zwarte water in de slotgracht.

'Ik ruihuik goisten!' fluisterde Hugo. 'Watergoisten, moerasgoisten, oehoeroude goisten. Boehoe.'

Grinnikend verdween hij door de donkere poort in de kasteelmuur.

Tom rukte zich los van de reling en ging gauw achter Hugo aan, langs de stenen tronies en de openingen waardoor ze vroeger hete pek over ongenode gasten gooiden. Bij het oversteken van de binnenplaats had hij het gevoel dat hij door oeroude ogen bekeken werd. Door kwaadaardige ogen, vol haat en lelijkheid. Maar toen hij opkeek was er niemand te zien.

Mevrouw Kummelsap en Hugo stonden al op de brede trap naar de hoofdingang van het kasteel. Kleddernat en rillend van de kou kwam Tom daar aan. Naast de ingang stond een groot bord: *Kasteel Duisterberg, bezichtiging op werkdagen 10.00-12.00 uur, zondag 10.00-16.00 uur, rondleidingen alleen op afspraak.*

'Hugo,' zei Hedwig Kummelsap, 'als je straks weer zo vervelend doet, bekogel ik je hoogstpersoonlijk met eieren. Heb je dat goed begrepen?'

'Hè jeeheehee,' kreunde Hugo, en hij zakte een beetje in elkaar. 'Niet één klein grahapje?'

'Niet één,' zei Hedwig Kummelsap.

Met die woorden trok ze aan de ketting die naast de hoge houten deur hing. Ergens ver in het kasteel tingelde een bel...

‘Wie is daar?’ fluisterde een bange stem achter de hoge deur.

‘Hier zijn Kummelsap & Co,’ antwoordde mevrouw Kummelsap. ‘De spokenjagers.’

‘O!’ De deur ging op een kiertje open en een man en een vrouw loerden angstig naar buiten.

‘Meneer en mevrouw Worm?’ vroeg Tom. ‘Hallo, mogen we alstublieft binnenkomen?’

‘Hallohooooohooooo!’ suizelde Hugo, vriendelijk zwaaiend met zijn witte vingers.

Baf, daar ging de deur weer dicht.

Met een zucht trok Hedwig Kummelsap nog een keer aan de ketting.

‘Dat is mijn assistent Hugo MES maar!’ riep mevrouw Kummelsap. ‘U kunt gerust opendoen.’

Achter de deur werd opgewonden gesmiespeld. Even later ging de deur weer open.

‘Komt u binnen!’ fluisterde een kleine dikke vrouw. In haar grijze haar zat een roze strikje.

‘Ja, komt u binnen!’ zei de man zacht. ‘Neemt u ons niet kwalijk, maar uw assistent... eh... ja, nou, hij ziet er wat vreemd uit.’

‘Het is een spook,’ zei Tom. ‘Maar hij is goedaardig, hoor.’

‘Nouhou, zo goedaardig ook weer niehiet,’ zei Hugo, ‘eerder...’

Mevrouw Kummelsap legde hem met een strenge blik het zwijgen op.

In het kasteel was het niet veel warmer dan buiten. De hoge, schemerige hal werd verlicht door een handjevol kaarsen, die in ijzeren houders aan de roetzwarte muren hingen.

'O, wat zijn wij blij dat u er bent,' fluisterde mevrouw Worm met trillende stem. 'Vandaag vlogen de pannen me weer om de oren. Mijn pannen, nou vraag ik u!' Met een snik trok ze haar strikje recht.

'Aha!' Mevrouw Kummelsap knikte en keek om zich heen. 'We kunnen maar beter zo snel mogelijk naar een goed verwarmde kamer gaan, want daar zijn spoken helemaal niet dol op, en daar moet u ons maar eens precies vertellen wat er allemaal gebeurd is.'

'O, dan is de oude wapenkamer het beste. Daar heeft mijn man een werkplaats ingericht,' zei mevrouw Worm zacht. 'Komt u maar.'

Met vlugge trippelpasjes rende ze naar een reusachtige stenen trap toe, waarnaast twee harnassen zonder armen stonden. Bij een van de twee ontbrak ook het linkerbeen.

'Zoals u ziet, verkeert alles hier in erbarmelijke staat,' zei meneer Worm. 'Sinds we hier zijn ben ik alleen maar aan het restaureren. Maar ik ben nog niet klaar of, hop, alles vliegt alweer door de lucht. Of er zit opeens allemaal slijm op. Het is gewoon verschrikkelijk.'

'Deze kant op, alstublieft!'

Mevrouw Worm liep een gang in, waar aan de muren tussen smalle ramen een heleboel lansen, knotsen, zwaarden en andere moordwapens hingen.

'Dit is de beroemde wapenverzameling van de baron,'

fluisterde mevrouw Worm. 'Die is ons ook al een paar keer om de oren gevlogen. Het is een wonder dat we nog niet gespietst zijn.'

'Heel interessant,' zei mevrouw Kummelsap. 'Trouwens, u hoeft niet te fluisteren hoor. De meeste spoken hebben niet zulke goede oren. Meestal gaan ze op hun neus af – helaas een betrouwbaar zintuig.'

'Klohohopt.' Hugo werd een beetje blauwig. 'Mijn neus roikt nu ook iets. Iets ouds, iets gemeuns.'

Hij zweefde bezorgd een paar meter achteruit.

Tom haalde vlug zijn plantenspuit met zeewater uit zijn rugzak.

'Snel!' riep mevrouw Kummelsap. 'Tegen de muur!'

Meneer Worm gehoorzaamde, maar mevrouw Worm stond als aan de grond genageld omhoog te kijken.

Daar wrong een enorme speer zich in bochten in zijn houder. De schacht kronkelde als een houten slang. Tom spoot er een flinke lading zeewater op. Als antwoord klonk er een schel, boos gekrijs. Twee knotsen vlogen door de lucht en vielen met een klap op de grond. Sabels, speren en lansen kwamen met veel kabaal naar beneden, en midden in de chaos begon mevrouw Worm te lachen.

Het was een afschuwelijke lach, hees en hol.

En toen lichtte mevrouw Worm op als een pompoen met Halloween. Haar gezicht golfde, alsof het vloeibaar werd. Haar wenkbrauwen werden dik en uit haar haren droop groen slijm. Haar mond vormde een angstaanjagende grijns.

'De barones!' schreeuwde meneer Worm geschrokken. 'De Bloedige Barones!'

'Een hulselglipper!' riep mevrouw Kummelsap. 'Vlug

Tom, bijt op je tong! U ook, meneer Worm!'

'Diiiiiiit iiiiiiis mijn kasteeeeeeel!' siste mevrouw Worm met de griezeligste stem die Tom ooit gehoord had. 'Wegweeeeeezen!'

'Het zeewater, Tom!' riep mevrouw Kummelsap. 'Spuit het op haar voeten!'

Tom trok zijn plantenspuit en spoot hem helemaal leeg op de voeten van mevrouw Worm.

'Ieeeeeeh!' krijste de Bloedige Barones. Mevrouw Worm sprong als een bezetene op en neer, terwijl om haar heen een grijsgroene slijmplas ontstond.

'Iiiiiik kom teruuuuuuug!' jammerde de afschuwelijke stem. Het gezicht van mevrouw Worm hield op met golven, haar hoofd gaf opeens geen licht meer, haar haren werden weer grijs – en de betovering was verbroken.

'Lieve schat!' Meneer Worm vloog op zijn vrouw af.

'Ze zat – hik – in – hik – me!' hikte mevrouw Worm. 'O, het was – hik – doodeng.'

Haar man sloeg troostend zijn armen om haar heen.

'En nu heb – hik – ik ook nog de – hik – hik!' riep mevrouw Worm wanhopig.

'Geen zorgen!' zei Hedwig Kummelsap. 'Dat gaat na zo'n vierentwintig uur over. Het is een typisch gevolg van een hulselglipperaanval.'

'Vieren – hik – twintig uur!' riep mevrouw Worm, en de hik rammelde haar zo hevig door elkaar dat ze geen woord meer kon uitbrengen.

'Hugo!' riep Tom. 'Hugo, verdorie, waar zit je nou?'

'Hiehier!' Hugo kwam grijnzend uit een harnas gezwabberd. 'Hoehoehoe, dat was me wahat, hè? Een echte spoikenkunstenares. Indrukwekkend. Heul indrukwekkend, jahaaa toch?'

'Och, dat gaat wel,' zei Tom. 'Ruik je nog iets?'
Hugo snuffelde en schudde zijn hoofd. 'Weg!' zei hij spijtig. 'Heul ver weg!'
Hedwig Kummelsap knikte. 'Ja, het is nog licht, dan hebben de meeste spoken niet veel fut. Daar moeten we gebruik van maken! Ik hoop dat die wapenkamer niet ver meer is.'
Meneer Worm schudde zijn hoofd.
'Goed, laten we dan maar gaan.'
Met knikkende knieën ging het echtpaar Worm de spokenjagers voor door het donkere kasteel.
'Mijn beste Tom,' fluisterde mevrouw Kummelsap onderweg, 'dat is een tegenstandster van formaat. En kwaadaardig ook. Ik vrees dat ons een bijzonder onaangename nacht te wachten staat. Wat denk jij?'
Tom kon het helaas alleen maar met haar eens zijn.

Muntzalf en eerste plannen

'Hier – hik – is het,' zei mevrouw Worm. Ze opende een hoge smalle deur en een heerlijke warmte kwam hen tegemoet. De voormalige wapenkamer was in een van de torens ondergebracht.

De grote, ronde kamer stond vol met gebutste harnassen, gebroken lansen, kapot paardentuig en zwart uitgeslagen schilderijen. Op een lange tafel lag het gereedschap van meneer Worm uitgespreid. Daarnaast stond een oude bank met een door de motten aangevreten bekleding. Op een tafeltje stonden twee kopjes en een theepot, op een kist in de hoek een klein kooktoestelletje. In de open haard brandde een vuur.

Mevrouw Kummelsap knikte tevreden. 'Heel knus,' vond ze. 'Tom, beveilig jij ramen en deuren? Dit soort spoken komt gelukkig niet door de muur.'

Tom knikte. Hij haalde een potje muntzalf uit zijn rugzak en begon de deurpost ermee in te smeren.

Hugo zweefde naar een van de grote ramen en ging tegen de koele ruit zitten. Hij had zo'n last van de warmte van het haardvuur dat zijn voeten al roze aanliepen.

'Moet u nou zien!' kreunde meneer Worm. Hij greep naar zijn hoofd en hield een handvol haar omhoog. 'Het valt met bossen tegelijk uit door die spokerij. Ik moet nu echt een sigaar hebben!'

'Dat kunt u beter niet doen,' zei mevrouw Kummel-

sap. Ze hing haar jas voor de open haard en zette de tassen met spullen op tafel. 'Geesten zijn dol op nicotine. U wilt toch niet weer bezoek, of wel?'

Meneer Worm legde de sigaar vlug terug in het kistje. Tom had intussen ook de raamkozijnen met muntzalf ingesmeerd.

'Zo, op de vensterbanken heb ik zout gestrooid,' zei hij. 'En ik heb ook wat handjes voor de deur gegooid. Anders nog iets?'

'Zet de SPOMEG-seismograaf op tafel,' zei mevrouw Kummelsap. 'Ik wil niet nog een keer zo overrompeld worden.'

Tom knikte en haalde een apparaatje uit zijn rugzak dat eruitzag als een radio. 'SPOMEG is de afkorting van SPOok in MENsenGedaante,' legde hij uit. 'Dit ding meldt het meteen als er zo'n geest in aantocht is!'

'Aha,' mompelden meneer en mevrouw Worm, die geboeid toekeken.

‘Mochten onze voorzorgsmaatregelen niets uithalen,’ zei mevrouw Kummelsap, ‘dan vraag ik u vooral aan één ding te denken: bijt op uw tong zodra dat spook eraan komt. En...’ ze stak een hand in een van de tassen, ‘zuig nu alvast op deze tabletjes. Ze smaken heel vies, maar ze beschermen uitstekend tegen hulselglippers.’

Meneer en mevrouw Worm staken gehoorzaam een tablet in hun mond. Tom en mevrouw Kummelsap namen er allebei ook een.

‘En ik dahahaaan?’ vroeg Hugo.

‘Klets niet,’ zei Tom. ‘Geen spook glipt in een ander spook. Dat weet jij ook wel.’

‘Meneer Worm,’ zei mevrouw Kummelsap, ‘u herkende dat spook, nietwaar?’

‘Jazeker!’ riep meneer Worm. ‘Vandaag liet ze zich voor het eerst zo duidelijk zien, maar ik herkende haar meteen. Meteen!’ Hij liep naar een rij schilderijen die schuin tegen de muur stonden. Met trillende handen draaide hij ze een voor een om. ‘Hier!’ riep hij ten slotte. ‘Dit is ze!’ Hij hield het schilderij omhoog.

Vanuit een zware gouden lijst keek een vrouw hen doordringend aan. Ze droeg een golvende bloedrode japon met een witte kraag. En over haar schouder hing een dode haas.

Meneer Worm dempte zijn stem. ‘Dat is de Bloedige Barones!’ fluisterde hij. ‘Ziet u wel? Daar onder op de lijst staat het: *1623. Jaspara van Duisterberg tot Kikkerstein.* Een akelig vrouwmens. Ik weet niet veel meer van haar dan hoe ze heette en dat ze in deze contreien nog steeds een heel slechte naam heeft.’

‘Jammer,’ zuchtte mevrouw Kummelsap. ‘Dat is reuzejammer. We moeten echt meer over haar te weten zien

te komen. Vooral wanneer en hoe ze gestorven is – zonder die informatie is het bijna onmogelijk een HISPOV te verdrijven.'

'HISPOVS zijn HIStorische SPOOKVerschijningen,' legde Tom aan de beduusde meneer Worm uit.

Mevrouw Kummelsap knikte. 'Ja, en ze zijn er in verschillende graden van gevaarlijkheid. In ons geval gaat het, vrees ik, om een van de gevaarlijkste exemplaren.'

'Dat denk ik ook,' bromde Tom. 'Als het donker wordt gaat het zeker alleen maar erger spoken?'

'Reken maar!' zei mevrouw Worm. 'We doen – hik – geen oog meer dicht van al – hik – dat gekrijs en gekreun.'

'Maar vandaag heeft ze zich voor het eerst laten zien?' vroeg mevrouw Kummelsap.

Meneer en mevrouw Worm knikten.

'Dan zijn we waarschijnlijk nog net op tijd,' zei Tom. 'De meeste HISPOVS worden sterker naarmate hun sterfdag dichterbij komt. Ze laten zich vaker zien en worden met de dag gevaarlijker.'

'Is dat zo?' Meneer Worm werd steeds bleker om zijn neus.

'Hebt u toen het donker was wel eens gemerkt dat de lampen flikkerden?' vroeg Hedwig Kummelsap.

'Of dat de haard uitging?' voegde Tom eraan toe.

'Jazeker.' Mevrouw Worm knikte heftig. 'Gisteren – hik – en eergisteren.'

'O jee,' zei Tom. Hij en mevrouw Kummelsap keken elkaar bezorgd aan.

'Ze eet strohoooom,' suizelde Hugo vanaf de vensterbank. 'Een echte lekkerbek, jajaaaa.'

Mevrouw Kummelsap keek naar buiten. 'We hebben

niet veel tijd meer voor het donker wordt. Wie van u weet waar de stoppenkast zit?'

'Ik,' zei meneer Worm. 'Hoezo?'

'We moeten de stroom uitschakelen,' zei Tom. 'Anders zuigt ze zich zo vol met energie dat niets of niemand haar meer kan tegenhouden.'

'Precies.' Hedwig Kummelsap trok een lang snoer uit een van de tassen, met aan de ene kant een stekker en aan de andere kant een puntige metalen stift. 'Daarna moeten we nog naar de bibliotheek. Er is toch wel een bibliotheek, hè?'

Meneer Worm knikte van ja. 'Daar spookt het heel vaak.'

'Natuurlijk,' zei Tom. 'De barones wil niet dat we dingen over haar te weten komen.' Vragend keek hij Hedwig Kummelsap aan. 'Wat moet ik nog meer meenemen?'

'Behalve je rugzak? Hm. We weten helaas nog te weinig van onze tegenstandster.' Mevrouw Kummelsap wreef nadenkend over haar puntneus. 'Ik neem natuurlijk de stroomwarmteomzetter mee,' zei ze, terwijl ze naar het snoer wees, 'verder hebben we in elk geval de muntzalf nodig, de zuigtabletten, de draagbare seismograaf – die andere laten we hier – tja, en een walkietalkie zou ik zeggen. Hugo...' ze draaide zich om naar het MES, '...jij blijf hier met mevrouw Worm. Het arme mens heeft genoeg te verduren gehad voor één dag. Als jullie bezoek krijgen, meld je je via de walkietalkie. Maar misschien kun je je collega ook alvast te lijf gaan met je ijsvingers, of anders een van je andere lollige grapjes?'

'Och neu,' zei Hugo. 'Dat werkt alleeheen boi mensen.'

'Jammer,' zei Hedwig Kummelsap, en ze stak waarschuwend haar wijsvinger op.

De SPOMEG-seismograaf begon te zoemen en te knipperen, eerst geel, toen rood, toen schimmelgroen.

'Op je tong bijten!' fluisterde Hedwig Kummelsap. 'En zuigen! Zuigen!'

Voor de deur was een zacht gemompel te horen, en toen gekras, alsof iemand zijn nagels over het oude hout haalde.

'Miezzzzerige hooooondsvodden!' zuchtte een afschuwelijke holle stem. 'Jammerlijke... iiiihiiiiihiiiii!' Met een hoge kreet brak de geest haar scheldkanonnade af, en op de gang brak een tumult los alsof er reuzen op de oude eiken vloer dansten. Even later blies er een ijzige wind onder de deur door, het spook krijste nog een keer schel – en het werd weer stil.

Tom grijnsde tevreden. 'Deurbeveiliging werkt. Ja ja, zout is een smerig goedje voor spokenvoetjes. Hugo, ik zou mijn schoenen maar aanhouden, want ik ga in het hele kasteel zout strooien, oké?'

'Okeu,' zei Hugo.

'Goed.' Hedwig Kummelsap hing de stroomwarmteomzetter over haar schouder. 'Aan het werk dan maar.'

Tom pakte de zeewaterspuit en de draagbare SPOMEG-seismograaf, en meneer Worm gaf zijn vrouw een afscheidszoen.

'Neem de koffie mee, schat,' zei mevrouw Worm, en ze drukte haar man de thermosfles in zijn handen. 'Een sterke bak helpt altijd.'

Dat wist Tom zo net nog niet, maar hij hield zijn commentaar voor zich. Hij deed voorzichtig de deur open, en toen de SPOMEG-seismograaf stil bleef stapte het drietal over de slijmplas die het spook had achtergelaten en ging op weg.

Een net vol geesten

'Eerst naar de stoppenkast,' zei mevrouw Kummelsap.

'Dan kunnen we het best de oude geheime gang nemen,' zei meneer Worm. 'Anders moeten we namelijk helemaal buitenom.'

Hij ging de spokenjagers voor door een paar lange gangen, tot ze in een zaal kwamen waar de houten betimmering met kunstig snijwerk versierd was.

'Waar was het ook alweer?' mompelde meneer Worm. 'O ja.'

Met snelle passen liep hij langs de linkermuur. Ongeveer halverwege bleef hij staan en voelde aan de houten hoofdjes, ranken en dierfiguren.

'Welke ziet er het engst uit?' vroeg hij aan Tom.

'Die daar.' Tom wees zonder aarzelen naar een tronie met een opengesperde muil.

Meneer Worm stak zijn hand tussen de puntige houten tandjes. Klik, klonk het zacht, en rechts van hen klapte een deel van de betimmering naar binnen. Gebukt kropen ze erdoor. Meteen voorbij de ingang hing een oude lantaarn. Meneer Worm stak hem aan en leidde Tom en mevrouw Kummelsap via een muf ruikende trap de diepte in. Tom telde de treden, maar na een tijdje gaf hij het op. Eindelijk schoof meneer Worm het deksel van een enorm wijnvat opzij, en het drietal stond in de kelder van het kasteel.

'Interessante camouflage,' mompelde Tom.

Nieuwsgierig keek hij om zich heen. Machtige kruisgewelven droegen de kasteelmuren. Daartussen zag hij kisten, planken en bergen oude stenen. Ratten ritselden in het donker. Reusachtige spinnenwebben hingen als stoffige grijze gordijnen aan het plafond.

'Man, dit zou Hugo mooi vinden!' zei Tom. Hij keek op de SPOMEG-seismograaf, maar die gaf geen kik. 'Onze barones houdt zeker niet van vochtige kelders.'

'O, ik denk dat er iets anders aan de hand is,' zei Hedwig Kummelsap. 'Zijn die tandafdrukjes overal je nog niet opgevallen? En die blauwige slijmsporen? Het wemelt hier van de KLEIBIJSPO's.'

‘Wa... eh... wat? KLEIBIJSPO’s?’ vroeg meneer Worm zenuwachtig.

‘KLEIne BIJtende SPOokjes,’ legde Tom uit. ‘Onschuldige typetjes, voor mensen volkomen ongevaarlijk. Maar hun grotere soortgenoten zijn doodsbang voor ze. KLEIBIJSPO’s maken namelijk gaatjes in hun zwabberhuid. Soms bijten ze zelfs hele lichaamsdelen af. Daar raken die groten helemaal van overstuur, en ze hebben heel veel spokenenergie nodig om zichzelf weer bij elkaar te rapen. Daarom durft uw kasteelspook hier waarschijnlijk niet te komen.’

‘Hoe zien die, die KLEIBIJSPO’s eruit?’ vroeg meneer Worm. Hij keek onbehaaglijk om zich heen.

‘Ze zijn ongeveer zo groot als een sinaasappel,’ zei Tom. ‘En ook ongeveer zo rond, maar de kleine monstertjes zijn zo groen als gras en ze hebben lange, scherpe tandjes.’

‘Aha,’ mompelde meneer Worm. Vanaf dat moment keek hij voortdurend angstig om zich heen, maar er kwam maar twee keer een roedel KLEIBIJSPO’s langs gezoefd.

‘Misschien moeten we er een paar meenemen,’ stelde Tom voor. ‘Om de barones een beetje op stang te jagen.’

‘Geen slecht idee,’ zei Hedwig Kummelsap. ‘Regel jij dat, dan gaan wij naar de stoppenkast.’

‘Deze kant op,’ zei meneer Worm, en hij en mevrouw Kummelsap waren al achter de dichtstbijzijnde pilaar verdwenen. Tom bleef alleen achter in het donker.

‘Daar gaan we dan,’ mompelde hij, en hij haalde een zakje met kleverige strookjes papier uit zijn rugzak, die verschrikkelijk naar muizenkeutels stonken, de lievelingsgeur van KLEIBIJSPO’s.

'Kom dan, kom dan, kleintjes,' fluisterde Tom, terwijl hij de strookjes papier op de grond legde. 'Kom dan, we hebben weinig tijd.'

Hij haalde een netje uit zijn broekzak en verstopte zich daarmee achter een stapel stenen. Lang hoefde hij niet te wachten. Eerst verscheen er alleen een rat, die nieuwsgierig aan zijn schoenen snuffelde, maar toen hoorde hij opeens het zachte knorren dat zo kenmerkend is voor KLEIBIJSPO's.

Flikkerend kwamen ze aan gezweefd, met z'n achten waren ze. Hun kleine oogjes lichtten op in het donker. Ze schoten knorrend op de papiertjes af, duwden elkaar

aan de kant en hapten met hun puntige tandjes naar elkaar – tot er opeens drie bleven plakken. Krijsend probeerden ze zich los te rukken, terwijl hun soortgenoten opgewonden jankend het hazenpad kozen.

Tom vloog erop af, gooide het spookbestendige net over het drietal en stopte ze in zijn rugzak. Woedend zetten ze hun tandjes in zijn hand, maar dat kriebelde alleen maar een beetje. Voor mensenhuid zijn de spokentandjes van KLEIBIJSPO's helemaal niet gevaarlijk.

'Heb je ze?' vroeg Hedwig Kummelsap.

Meneer Worm scheen Tom met de lantaarn in zijn gezicht.

'Tuurlijk,' antwoordde Tom met een grijns. 'Hebben jullie de stoppen gevonden?'

Hedwig Kummelsap knikte. 'Ons spook gaat op dieet.'

'Hugo,' fluisterde Tom in de walkietalkie. 'Bij jullie alles goed?'

'Alles goehoed,' suizelde Hugo.

'Mooi,' zei Tom. 'Dan moesten we nu maar naar de bibliotheek gaan.'

Toen meneer Worm de deur van de kasteelbibliotheek opendeed blies er een ijskoude wind in hun gezicht. De grote ramen stonden wagenwijd open, en Tom hoorde hoe buiten de regen in de slotgracht kletterde.

Vlug deden ze de ramen dicht. Daarna keken ze pas om zich heen; er stond bijna geen boek meer op de planken. Ze lagen allemaal kriskras op het tapijt, in metershoge stapels, opengeslagen, kapotgescheurd, de oude bladzijden dubbelgevouwen, de leren ruggen besmeurd met slijm.

'O nee!' riep meneer Worm. 'Al die prachtige, prachtige boeken!'

Geschokt hield hij de lantaarn boven zijn hoofd.

'Iemand is ons voor geweest,' zuchtte mevrouw Kummelsap. 'Onze lieve barones heeft geen half werk verricht.'

Tom keek naar buiten. De schemering hing al tussen de hoge bomen.

'Het wordt zo donker,' zei Hedwig Kummelsap. 'Maar we moeten het erop wagen. Zoek naar boeken die over de geschiedenis van het kasteel gaan. We zijn vooral geïnteresseerd in de zeventiende eeuw.'

'Laten we met de onderste beginnen,' stelde Tom voor. 'Als ze bepaalde boeken wilde verstoppen, liggen die vast daar.'

'Ik hoop maar dat ze niet buiten liggen,' zei mevrouw Kummelsap met een bezorgde blik uit het raam, waar in de diepte het water van de gracht tegen de kasteelmuren klotste.

De Bloedige Barones

In het schaarse licht van meneer Worms lantaarn en Toms zaklamp trokken ze met z'n drieën het ene boek na het andere uit de ordeloze stapels. Tom had de deurposten zorgvuldig ingesmeerd en een hele berg zout gestrooid. Buiten werd het steeds donkerder, en de macht van de Bloedige Barones werd groter en groter. Hun vingers vlogen langs duizenden knisperende oude bladzijden. Ze lazen, dronken de sterke koffie van mevrouw Worm en lazen weer verder: over schranspartijen en hongersnoden, boerenopstanden, galgenbergen en bloedige oorlogjes, over koninklijk bezoek en vuurzeeën die het halve kasteel in de as legden, en over de cholera en de pest, die ook voor de dikke kasteelmuren geen halt hielden.

'Wat klinkt dat allemaal vreselijk!' kreunde Tom na een tijdje. 'Ik had het me wel wat romantischer voorgesteld, zeg.'

'Wat?' vroeg Hedwig Kummelsap.

'Nou, het leven op zo'n kasteel,' zei Tom.

'O nee, daar was helemaal niets romantisch aan,' mompelde Hedwig Kummelsap. 'Vooral niet als je tot het werkende deel van de bevolking hoorde.' Opeens trok ze rimpels in haar voorhoofd. 'Wacht eens even. Daar staat iets.' Voorzichtig streek ze het verkreukelde papier glad. 'Ja hoor, dat is ons spook. Luister maar:

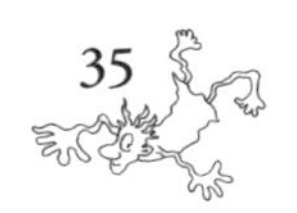

Op 14 november 1623 trouwde gravin Jaspara van Muizewitz met baron Van Duisterberg tot Kikkerstein, die ze het jaar daarop bij een heftige ruzie met haar dolk doodstak. Daarna regeerde de barones vele jaren onrechtvaardig en wreed. Het volk gaf Jaspara algauw de bijnaam 'De Bloedige Barones', omdat ze vaak van top tot teen onder het bloed over de velden reed. Ze verdiende haar bijnaam ook nog om een andere reden: ze verkocht haar boeren als soldaten om telkens nieuwe paarden en honden te kunnen aanschaffen voor haar liefste tijdverdrijf: de jacht.

Stropers stelde ze hoogstpersoonlijk terecht door ze eigenhandig in de slotgracht te gooien. Pas tien jaar na de moord op haar echtgenoot kreeg ze voor die misdaad haar gerechte straf. De zus van haar achterbaks om het leven gebrachte man...'

Hedwig Kummelsap keek op en spitste haar oren.

'Wat is er?' vroeg Tom ongerust.

Ze legde waarschuwend een vinger op haar lippen. 'Horen jullie dat?' fluisterde ze.

'Een paard!' riep meneer Worm. 'Dat lijkt wel een paard!'

Het geluid werd steeds harder. Een driftig getrappel. Het kwam dichterbij. Hoeven galoppeerden dreunend door de lange gangen van het kasteel.

De SPOMEG-seismograaf zoemde en knipperde als een bezetene.

'Pas op!' schreeuwde Tom. Het geluid van de hoeven dreunde in zijn oren. 'Pas op, daar komt ze!'

Met een schrille kreet vloog de Bloedige Barones op haar spookpaard door de dichte deur van de bibliotheek. Briesend landde het bleke paard een meter voor

de arme meneer Worm. Het rolde wild met zijn rode ogen en blies zijn neusgaten bol. Zijn manen kronkelden door de lucht als een bos slangen. De barones zat met wapperende haren in het zadel, in haar hand een enorm zwaard waarmee ze wild om zich heen sloeg. Ze zag er afzichtelijk uit, en haar ogen fonkelden rood in hun donkere kassen. Met verwarde haren en een borstpantser over haar golvende gewaad keek ze grijnzend op de spokenjagers neer.

'Geeheeeef mij dat boeeek!' riep ze dreigend, en ze graaide ernaar met haar bleke hand.

De arme meneer Worm liet zich jammerend op de grond vallen.

'Dat boek krijg je niet!' riep Tom. Hij sprong op het paard af en spoot zeewater in zijn neus.

Mevrouw Kummelsap ramde de metalen stift van de stroomwarmteomzetter in de grond, liet het snoer van haar schouder rollen en zwaaide het als een lasso rond boven haar hoofd. Trefzeker slingerde ze de stekker precies in de mond van de barones. Die klapte verbaasd haar mond dicht, deed hem weer open en probeerde de stekker uit te spugen. Maar dat lukte helemaal niet.

Het werd warm in de bibliotheek, warmer en warmer. De stift werd roodgloeiend. De Bloedige Barones en haar paard begonnen te zwabberen. Hun omtrekken vervaagden, alsof ze langzaam oplosten.

'Aaaaaahhhh!' schreeuwde de barones, terwijl haar paard onder haar op wankele benen begon te steigeren. 'Houuu op, houuu daarmeeee ooop!'

Maar daar piekerde mevrouw Kummelsap natuurlijk niet over.

'Vind je het soms niet lekker, Jaspara?' riep ze.

Het spook krijste woedend, liet het paard keren, gaf het de sporen en galoppeerde op een van de ramen af. Het raam vloog open en met één geweldige sprong verdween het spookpaard met zijn afschuwelijke ruiter in de slotgracht.

Meneer Worm, mevrouw Kummelsap en Tom renden naar het raam en zagen de Bloedige Barones nog net kopje-onder gaan in het borrelende water.

'Nou, in dat boek moeten wel een hoop interessante dingen over die dame staan,' zei Tom.

'Laten we het hopen!' zei mevrouw Kummelsap.

Meneer Worm stond nog voor het raam naar het zwarte water te kijken.

'Ze komt wel weer terug,' fluisterde hij.

'Ongetwijfeld,' zei Hedwig Kummelsap. 'En al heel gauw ook, vrees ik. Kom mee, meneer Worm.' Ze trok hem zacht hij het raam vandaan. 'We gaan weer naar uw vrouw. Daar kunnen we het boek over de Bloedige Barones in alle rust uitlezen.'

'Wat was dat eigenlijk voor een ding, waarmee u haar wegjoeg?' vroeg meneer Worm vol bewondering.

'O, dat is een eigen maaksel,' zei mevrouw Kummelsap, terwijl ze het snoer weer over haar schouder slingerde. 'Een stroomwarmteomzetter. Onttrekt stroom aan stroometende spoken en maakt ervan waar ze het minst van gediend zijn: warmte.'

'Verbluffend,' mompelde meneer Worm. 'Echt, verbluffend.'

Snel gingen ze weer op weg door het donkere kasteel. Terug naar mevrouw Worm en Hugo, die al ongeduldig zaten te wachten.

Toen mevrouw Worm hoorde wat er in de bibliotheek gebeurd was, kreeg ze zo vreselijk de hik dat ze eerst even op de bank moest gaan liggen.

'Zal ik u een boitje laten schrihikken?' vroeg Hugo behulpzaam. 'Een boitje kiehieeeetelen met moin oisvingers? Ja?'

'Nee,' zei Tom. 'Maar je mag wel de deur en de ramen in de gaten houden. Wie weet wanneer de Bloedige Barones terugkomt.'

'Wat saaaaaaai,' suizelde Hugo. 'Niemand laten schrikken, alleun spihinnen om te eten, baaaaah!'

'Moeten jullie horen!' riep Hedwig Kummelsap. Ze zat voor de open haard, met het dikke, oude boek dat Jaspara's geest haar afhandig had willen maken. 'Hier staat dat de Bloedige Barones op haar vijfendertigste verjaardag bij het ochtendgloren door haar schoonzuster in de slotgracht werd geduwd en verdronk. Dat betekent...'

'Maar wat – hik,' mevrouw Worm kreeg een knalrood hoofd. 'Wat af – hik – af – hik...'

'Afschuwelijk? Nou, volgens mij verdiende ze niet beter,' zei Tom. 'Maar dat betekent dat ze een SPOMEDUV is, en dat is wel interessant.'

'SPOMEDUV?' vroeg meneer Worm.

'SPOok MEt DUister Verleden,' vertaalde Tom. 'En

aangezien ze in de slotgracht terechtgekomen is, gok ik dat ze ook een paar MOWAG-eigenschappen heeft.' Hij schudde zijn hoofd. 'Een duivelse combinatie.'

'SPOMEDOF, BOVAG,' mevrouw Worm schudde verward haar hoofd. 'Wat betekent dat nou weer?'

'Tja.' Mevrouw Kummelsap liet zich met een zucht op de bank zakken. 'Tom, daar kun je maar beter even je computer voor aanzetten.'

'Komt voor elkaar,' zei Tom, en hij zette zijn kleine, handzame laptop op tafel. 'Getver!' riep hij. 'Hugo, heb je nou alweer over mijn computer heen geslijmd?'

'Ooooch,' zei Hugo. 'Een boitje maar. Stelt niets voohoor.'

'Als je het nog een keer doet strooi ik er zout op,' dreigde Tom. 'Gesnopen?'

'Jahaahaaaa,' mokte Hugo. 'Rustig mahaaar.'

Driftig veegde Tom het spokenslijm af en klapte het beeldscherm omhoog. 'Nog een geluk dat de accu vol is,' zei hij. 'Anders hadden we zonder stroom mooi voor aap gestaan.' Zijn vingers vlogen over de toetsen. 'ONS' verscheen er op het kleine beeldscherm. 'Gegevens P-Z. Zoekterm SPOMEDUV.'

'Hebbes,' mompelde Tom. 'Daar gaat ie.' Hij drukte op de entertoets en het beeldscherm vulde zich met tekst.

'Lees eens voor,' zei Hedwig Kummelsap.

En Tom las hardop:

SPOMEDUV / SPOok MEt DUister verleden

De grote familie der HISPOVS kent vele ondersoorten, waarvan er een in het bijzonder zeer moeilijk te bestrijden

is: het SPOMEDUV. *Deze spokensoort onderscheidt zich al bij leven door een buitengewoon onplezierig karakter, wat na de dood nog versterkt wordt. Dit geldt vooral voor* SPOMEDUVS *die op gewelddadige wijze aan hun eind gekomen zijn. Deze exemplaren van de toch al hoogst onaangename soort hebben het griezelige vermogen tot hulselglippen, waarbij ze in een levend menselijk hulsel glippen.*

Bij het slachtoffer zorgt dit onsmakelijke proces voor grote psychische verwarring, gecombineerd met een hevige hikaanval, die vaak wel 24 uur duurt.

'Vieren – hik – twintig uur – hik – nee hè!' zuchtte mevrouw Worm.

Tom las verder:

Over de bestrijding van hulselglippende SPOMEDUVS *is weinig bekend, aangezien elk exemplaar uniek is; het zou dan ook levensgevaarlijk zijn ze allemaal over één kam te scheren.*

Echter, één ding staat vast: verdrijving is alleen, we benadrukken uitsluitend mogelijk op het stervensuur van het betreffende exemplaar. Is dat niet te achterhalen, dan is elke poging tot bestrijding tot mislukken gedoemd.

'Haar stervensuur!' riep meneer Worm. 'Gelukkig, dat weten we. Bij zonsopkomst.'

'Ja, maar wanneer?' Tom zette zijn bril recht. 'In de winter of in de zomer? Dat kan uren verschil maken. Zonder de precieze dag hebben we er weinig aan.'

Meneer en mevrouw Worm keken elkaar beteuterd aan.

'Daar moeten we ons later maar het hoofd over breken,' zei mevrouw Kummelsap. 'Op de een of andere manier komen we er wel achter. Nu zou ik graag meer weten over de gevolgen van de natte dood van de barones. Tik even SPOMEDUV/*dood door verdrinking* in, als je wilt.'

'Doe ik,' zei Tom.

Weer vulde het beeldscherm zich. En weer las Tom hardop:

SPOMEDUV/MOWAG MO*dder*WA*ter*G*eest*

Wanneer de SPOMEDUV *een gewelddadige verdrinkingsdood gestorven is, krijgt de spokenjager te maken met een extra geniepige spokensoort, met als meest vervelende eigenschap het stroomslurpen. Deze soort slurpt stroom uit*

alle beschikbare bronnen: stopcontacten, stroomkabels, elektrische apparaten, accu's, batterijen zelfs. Dankzij dit energierijke dieet kan een SPOMEDUV *zo'n kracht ontwikkelen dat hij zijn tegenstander puur door hem aan te raken vloeibaar maakt, waarna hij – en dit is wel heel afschuwelijk – het overgebleven plasje opdrinkt en nog sterker wordt.*

'Maar dat is walgelijk!' riep meneer Worm. 'Te walgelijk voor woorden. Het is maar goed dat we dat monster van de stroom afgehaald hebben.'

'Wacht eens,' zei Tom. 'Een momentje.' Hij fronste zijn voorhoofd. 'De accu van mijn computer is spookbestendig, die van onze auto ook. Maar ik hoop dat u hier niet ergens een voorraadje batterijen hebt of zo.'

Meneer en mevrouw Worm werden lijkbleek.

'Eh...' stamelde meneer Worm. 'In de oude paardenstallen staan de auto's van de graaf, allemaal met een splinternieuwe accu. Ik heb ze vorige week nog nagekeken. De graaf verzamelt oude auto's, moet u weten, en hij wil er per se op elk moment mee weg kunnen rijden.'

Hedwig Kummelsap en Tom keken elkaar gealarmeerd aan.

'Accu's!' kreunde Tom. 'Hoeveel?'

'Vijf,' antwoordde meneer Worm.

'Vijf!' Mevrouw Kummelsap schudde bezorgd haar hoofd. 'Mijn hemel. Waar staan die dingen?'

'In de linker – hik – zijvleugel van het kasteel,' zei mevrouw Worm.

'Waar vroeger de paarden stonden. De ophaalbrug moest speciaal voor de auto's verstevigd worden.' Ze

keek de spokenjagers geschrokken aan. 'O god, denkt u soms...'

'Dat denk ik inderdaad!' Mevrouw Kummelsap sprong op. 'Als we niet allemaal als plasjes willen eindigen, moeten we die auto's vlug gaan bekijken.'

'Wij gaan mee,' zei meneer Worm. 'Toch, schat?'

Mevrouw Worm schoof haar strikje op zijn plaats. 'Ab – hik – soluut.'

'Dat vind ik niet zo'n goed idee,' wierp Tom tegen. 'Stel dat de barones ook al aan de auto's heeft gedacht en ons buiten staat op te wachten, van top tot teen vol met stroom?'

'En stel dat ze – hik – in het kasteel is,' vroeg mevrouw Worm met trillende stem, 'en zodra jullie buiten zijn – hik – hierheen komt?'

'Hugo kan toch hier blijven om u te beschermen?' stelde Tom voor.

Het echtpaar Worm wierp Hugo een wantrouwige blik toe, wat Hugo helemaal niet merkte omdat hij net aan Toms rugzak aan het snuffelen was.

'Toe nou, we – hik – willen echt heel graag mee!' riep mevrouw Worm. 'Ik wil – hik – niet nog een keer gehulselglipt worden.'

'Goed dan.' Hedwig Kummelsap haalde haar schouders op. 'Als u erop staat. Ik verzoek u wel rubberlaarzen en rubberhandschoenen aan te trekken. Dat beschermt misschien een klein beetje tegen de aanraking van de barones. En nog één ding: als we de barones tegenkomen en ze heeft de accu's al leeggeslurpt...'

Meneer en mevrouw Worm keken haar met grote angstogen aan.

'...dan moet u hard wegrennen,' zei Tom. 'Zo hard als

u kunt, en vooral zigzaggend.'

'Als een haaaaaas,' zei Hugo, die tot aan zijn middel in Toms rugzak verdween.

'Ja, zigzaggen als een haas.' Hedwig Kummelsap knikte. 'Daar raken spoken de kluts van kwijt. Door het voortdurend van richting veranderen beginnen ze te trillen als...'

'...als een gek geworden drilpudding,' zei Tom grijnzend. 'Dan proberen wij de stroom weer bij haar af te tappen.'

Hij keek mevrouw Kummelsap vragend aan. 'Zal ik het spokenfluitje voor de zekerheid ook maar meenemen?'

Hedwig Kummelsap knikte. 'Baat het niet dan schaadt het niet. Kom, laten we gaan. Elke minuut telt.'

'En jij, Hugo?' vroeg Tom. 'Bewaak jij hier het fort of ga je mee? Hugo?'

Het MES was nergens te bekennen.

'Verdorie, waar hangt hij nu weer uit?' Tom keek geergerd om zich heen.

'Volgens mij is hij in je rugzak gekropen,' zei meneer Worm.

'In mijn rugzak. Aha.' Tom grijnsde. 'Nou, dan zal hij zo wel weer naar buiten komen.'

'Aaaaaiiiiii.' Hugo schoot als een schimmelgroene raket de rugzak uit. 'Kloibespois!' jankte hij. 'Afgroiselijke, gemeune kloibespois! Ze hebben me in m'n vinger gebeheeheeeeeten.'

'Die was ik bijna vergeten,' zei Tom grinnikend. 'Die neem ik in elk geval mee. Misschien komen ze nog van pas. Als de barones maar half zo hard gilt als jij ben ik al tevreden.'

Hugo sabbelde beledigd op zijn vingers. 'Heul grappig,' zei hij. 'Echt roizegrappig!'

Hugo ging mee. En zo stapten ze met z'n vijven de binnenplaats op.

Het was inmiddels stikdonker. De regen was overgegaan in sneeuw. Nat en koud vielen de vlokken uit de donkere lucht en dekten alles toe.

'Ohoooohooooo!' joelde Hugo. 'Woehoe wat fijn. Oiskoude sneeuw, fijhijhijjjjjjjn!'

'Ook dat nog!' kreunde Tom. 'Echt spokenweer. De barones zal zich nu wel kiplekker voelen.'

Hedwig Kummelsap knikte. Bezorgd keek ze uit over de besneeuwde binnenplaats, maar er was geen slijmspoor te zien in het smetteloze wit.

Meneer Worm liep met zijn lantaarn voorop, naast hem trippelde mevrouw Worm en daarna kwamen mevrouw Kummelsap en Tom, met zeewater en SPOMEG-seismograaf in de aanslag. Hugo zwabberde nu eens voor het groepje uit, dan weer achter het groepje aan. Genietend liet hij de sneeuwvlokken in zijn mond dwarrelen.

'De paardenstallen zijn in de linkervleugel!' zei meneer Worm zacht. 'Tegen de buitenste kasteelmuur aan.'

'En daar rechts?' Tom wees naar de andere zijvleugel. 'Wat is daar?'

Op het dak stond een klokkentorentje en boven een

grote deur hing in steen het wapen van de Van Duisterberg tot Kikkersteins.

'Dat is de kapel,' zei mevrouw Worm. 'De kapel – hik – van de Van Duisterbergs, met het familiegraf.'

'Het familiegraf?' vroeg Hedwig Kummelsap. 'Er is hier een familiegraf? Maar dat is interessant!'

'Jaspara's sterfdag!' riep Tom.

Meneer Worm sloeg zich voor het hoofd. 'Natuurlijk! Waarom heb ik daar niet eerder aan gedacht met mijn domme kop?'

Van opwinding struikelde hij bijna over zijn eigen voeten.

'Kapel, graf. Getsie,' mompelde Hugo. 'Vroiselijke plekken, heul vroiselijk.'

'Ja ja,' zei Tom, 'iedereen weet dat spoken daar niet van houden. Des te beter, want dan komen we de barones daar in elk geval niet tegen.'

Toen ze voor de paardenstallen stonden, die nu dienst-deden als garage van de graaf, keek mevrouw Kummelsap aandachtig rond. Maar er was niets verdachts te zien of te horen. Ook de SPOMEG-seismograaf bleef stil.

'Meneer Worm,' zei mevrouw Kummelsap, 'ik stel voor dat u en uw vrouw zich met de accu's bezighouden. Maar neem ze in geen geval mee, want dan trekt u de barones juist aan. Giet dit er maar overheen. Dan zijn ze voor spoken in elk geval een tijdje niet te genieten. Hier hebt u ook een walkietalkie.' Ze gaf de Worms de walkietalkie en twee kleine flesjes. 'Hugo, jij blijft bij ze en geeft een gil in de walkietalkie zodra je iets spookachtigs ruikt. Dan komen we meteen naar jullie toe.'

'Jahaahaaaa,' zei Hugo. 'Komt in orde. Hoewel ik de barones grahaaag wat beuter zou willen leren kennen.

Haar spoikkunst is heulemaal geweldig en ze ziet er nog goed uit oohook!'

'Dat mens is foeilelijk!' zei Tom. 'Nou niet romantisch gaan doen, hè?'

'Oooh, ik ben ook foeiloilijk,' suizelde Hugo. 'Dat maakt moi niet uihuit.'

Tom rolde met zijn ogen. 'O, o! Zo te horen ben je al smoorverliefd! Verliefd op een gedrocht met uitpuilende ogen!'

'Welneu!' Hugo gaf Tom een boze por in zijn ribben. 'Heulemaal niet waahaar!'

Tom moest zo lachen dat zijn bril van zijn neus viel. 'Tjonge, wat zal het er vurig aan toe gaan als jullie elkaar in de ijsarmen vallen. Weet je wat, Hugo, maak haar gewoon een spokencompliment als ze weer opduikt. Misschien vergeet ze dan dat ze ons in plasjes wil veranderen en opslurpen.'

'Heul grappig.' Hugo blies Tom zijn bedorven adem in het gezicht. 'Roizegrappig!'

'Zeg, houden jullie nou eens op met z'n tweeën,' zei mevrouw Kummelsap. 'Hier hebben we echt geen tijd voor. Meneer Worm, hebt u de sleutel van de kapel en het familiegraf?'

'Jazeker.' Meneer Worm haalde een dikke sleutelbos uit zijn zak. 'Deze is het, die lange met al die versierseltjes.'

Mevrouw Kummelsap stak de sleutel bij zich en gaf meneer Worm de SPOMEG-seismograaf. 'Hier,' zei ze, 'voor de zekerheid. Hugo is zo in de war van verliefdheid dat u maar beter niet op hem kunt vertrouwen. Kom mee, Tom.'

'Doei Hugo,' lachte Tom. 'En niet te veel naar je gelief-

de smachten, hè? Anders komt ze straks nog echt.'

'Hahaaaa!' zei Hugo, en hij gooide een sneeuwbal naar Toms hoofd. Toen verdween hij met het echtpaar Worm in de oude paardenstallen.

Hedwig Kummelsap en Tom staken de binnenplaats over om het familiegraf van de Van Duisterberg tot Kikkersteins te bekijken.

De sneeuw lag al zo hoog dat ze er tot aan hun enkels in zakten. Zwijgend liepen ze naast elkaar. Behalve het knerpen van hun voetstappen was er niets te horen. Tom liet zijn blik langs de ramen rondom dwalen. Maar deze keer voelde hij geen ogen die hem aanstaarden, zoals toen ze aankwamen.

'Dat valt weer mee,' mompelde hij.

'Wat?' vroeg Hedwig Kummelsap.

'O niets.' Tom veegde de sneeuwvlokken van zijn bril. 'Die deur onder het wapen is het volgens mij.'

Hedwig Kummelsap stak de sleutel in het slot. Krakend ging de deur open, en ze stonden in de kapel van de Van Duisterbergs. Het rook er naar natte steen, naar kaarsvet – en naar slijm.

'Moet je kijken,' fluisterde Hedwig Kummelsap.

Donkere slijmsporen liepen door het gangpad tussen de bewerkte kerkbanken en verdwenen in het duister achter het altaar.

Tom bukte zich. 'Die sporen zijn al oud, zo te zien,' fluisterde hij.

Ze liepen voorzichtig verder. Achter het altaar was nog een ruimte, een ruimte met grote stenen platen aan de muren.

Voor sommige platen hurkten huilende engelen met

stenen tranen in hun marmeren ogen.

Tom liet zijn zaklamp langzaam over de teksten op de platen gaan.

‘Giselbrecht, Edelgard, Mieshilde,’ las Tom. ‘Jeetje, wat hadden die een rare namen. Ik ben benieuwd...’ Verder kwam hij niet.

De walkietalkie kraakte.

‘Hallo, hallo!’ fluisterde de opgewonden stem van meneer Worm. ‘Meldt u zich!’

‘Wat is er?’ vroeg mevrouw Kummelsap.

‘Ze is ons voor geweest. De accu’s zijn leeggeslurpt!’ riep meneer Worm. ‘Allemaal. Het is hier een rommeltje. Wat moeten we doen?’

‘Meteen naar ons toe komen!’ zei mevrouw Kummelsap. ‘Zo snel als u kunt.’

‘Slecht nieuws,’ mompelde Tom.

Hij scheen met zijn zaklamp op de volgende grafsteen, waarvoor twee marmeren honden de wacht hielden. De tekst zat helemaal onder het slijm. Tom pakte zijn zakmes en krabde de viezigheid er voorzichtig af.

‘Jaspara, barones Van Duisterberg tot Kikkerstein,’ las hij. ‘Op achterbakse wijze vermoord bij het gloren van den 12den mei 1658. Geboren dezelfde dag des Heeren 1623.’

‘Mei.’ Mevrouw Kummelsap wreef over het puntje van haar neus. ‘Hoe laat komt in mei de zon op?’

‘Wacht even.’ Tom haalde een agendaatje uit zijn broekzak. ‘Zonsopkomst in mei... hier. Vijf uur veertig.’ Hij keek op zijn horloge. ‘Het is nu iets na twaalven. Dan hebben we dus nog even de tijd om te bedenken wat we gaan doen.’

‘Ik ben bang dat er niet veel te bedenken valt,’ zei mevrouw Kummelsap. Ze keek peinzend naar de oude grafsteen. ‘Ik ken maar twee manieren om zo’n krachtige SPOMEDUV eeuwige rust te bezorgen.’

‘Ik ken er ook een,’ zei Tom. ‘Je schrijft de naam van het spook achterstevoren op een spiegel, en dan moet je hem op een of andere manier zover krijgen dat hij erin kijkt. Dan verdampt hij.’

‘Hmm!’ Mevrouw Kummelsap knikte. ‘Die methode heb ik jaren geleden een keer gebruikt voor een geest die verdronken was, net als onze barones. De spiegel brak in kleine stukjes en de geest heeft me drie keer rond zijn kasteel gejaagd. Mijn enige redding was dat ik bij mijn spookbestendige auto wist te komen. Een verschrikke-

lijke ervaring. En dan heb ik het er nog niet eens over dat ik van top tot teen onder de glassplinters zat, als een glazen stekelvarken.'

'En die geest?' vroeg Tom. 'Hoe is het daarmee afgelopen?'

'Die heeft nog drie collega's vloeibaar gemaakt,' zei mevrouw Kummelsap, 'voor de beroemde Italiaanse spokenjager professor Boccabella hem vernietigde.'

'En waarmee?' vroeg Tom. 'Hoe heeft hij dat klaargespeeld?'

'Met een levensgevaarlijke truc,' zei mevrouw Kummelsap. 'Hij...'

Weer kraakte de walkietalkie.

'Help!' schreeuwde meneer Worm met overslaande stem. 'Heeeelp! Daar komt ze. Daar komt ze!!!'

Tom en mevrouw Kummelsap zetten het op een lopen.

De binnenplaats bood een ontstellende aanblik. De sneeuw kleurde blauw in het spokenlicht van de barones. Na haar accumaaltje was ze reusachtig groot geworden, zo groot dat haar akelige hoofd boven de kasteelmuur uitstak. Krijsend en joelend zat ze op haar paard achter de arme meneer en mevrouw Worm aan, die als opgejaagde konijntjes zigzaggend door de sneeuw holden. Hugo was in geen velden of wegen te bekennen.

Mevrouw Kummelsap liet de stroomwarmteomzetter van haar schouder rollen. 'Vlug Tom, het fluitje!' riep ze. De barones stak net een bleke hand naar mevrouw Worm uit, maar die kon de ijzige vingers op het laatste moment ontwijken.

'Verdulleme,' mompelde mevrouw Kummelsap. 'De stift heeft geen houvast. Nou, het moet maar. Hé!' riep ze. 'Hé Jaspara, stuk verdriet, kom dan! Of durf je dat soms niet?'

De Bloedige Barones keerde met een ruk haar paard en keek met rode ogen op de spokenjagers neer.

Uitgeput en dankbaar voor de adempauze ploften meneer en mevrouw Worm in de sneeuw.

'Waaaaat?' joelde Jaspara, terwijl haar paard briesend dichterbij kwam, 'waaat zei dat mensssssss?'

'Sinds wanneer ben je doof?' riep Tom. Met ware doodsverachting deed hij een paar stappen naar het

reusachtige spookpaard toe. 'Ze noemde je een stuk verdriet. Maar dat ben je toch ook?'

Eindelijk vonden zijn vingers het fluitje in zijn jaszak.

'Moet je horen, Jaspara!' riep hij, en hij blies uit alle macht op het spokenfluitje.

Er was niets te horen – niet voor menselijke oren tenminste. Maar Jaspara's spookpaard begon zo woest te steigeren dat de barones haar evenwicht verloor en achterover in de sneeuw tuimelde. Tom floot nog een keer en het paard galoppeerde er met wapperende manen vandoor.

'Nu!' riep hij.

Mevrouw Kummelsap stak de stift zo goed en zo kwaad als het ging in de sneeuw en slingerde de stekker van de stroomwarmteomzetter met alle kracht die ze in zich had naar Jaspara. Maar deze keer kwam het ding niet in Jaspara's mond terecht; met snoer en al draaide het zich om haar hals. De stift vloog erachteraan en bungelde als een bizar sieraad voor haar borst.

Langzaam, heel langzaam begon de stift te gloeien.

'Ieeeeeh!' krijste Jaspara. Ze trok het snoer met één ruk kapot en smeet de twee stukken in de sneeuw. Tollend kwam ze overeind.

'Ze is al te sterk!' riep mevrouw Kummelsap. 'De stroomwarmteomzetter doet het niet goed.'

De Worms zaten nog steeds in de sneeuw. Ontsteld keken ze op naar de barones, die met een gemene grijns op hen af zweefde.

'Kijk!' riep Tom opeens. 'De omzetter doet het wel! Ze krimpt! Ze wordt weer kleiner!'

En inderdaad: de barones kromp. Dampend werden haar bleke ledematen kleiner, terwijl de sneeuw om haar

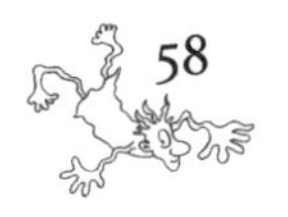

heen in een blauwig glanzende brij veranderde.

'Aaaaaah!' gilde ze woedend. Ze steeg wat hoger en zweefde verder naar de arme meneer en mevrouw Worm.

'De KLEIBIJSPO's!' riep mevrouw Kummelsap. 'Schiet op, Tom, laat ze eruit.'

Tom haalde zijn rugzak tevoorschijn. De Worms renden alweer kriskras over de binnenplaats, maar ze konden maar met moeite op de been blijven, en de barones kwam met een honend lachje dichterbij.

'Eruit jullie!' riep Tom, schuddend met zijn rugzak. 'Eruit, monstertjes!'

Het net met de KLEIBIJSPO's viel in de sneeuw. De knorrende spookjes zweefden allemaal door elkaar. Tom trok het net stuk en de kleine geestjes kozen de vrijheid.

De barones keek geschrokken om.

'Ieeeeh, KLEIBIJSPO's!' gilde ze.

Kwaad probeerde ze de monstertjes af te schudden, maar die hadden zich al in haar spookgewaad vastgebeten. Knorrend hapten ze naar haar armen en benen. De barones sloeg naar ze met haar paardenzweepje, maar daar werden ze alleen maar driftiger van. Hele happen namen de KLEIBIJSPO's uit het grote spook. En de Bloedige Barones zag er opeens uit als een gatenkaas.

Met hun laatste krachten kwamen meneer en mevrouw Worm naar Tom en mevrouw Kummelsap toe om zich achter hun rug te verschuilen.

'Eten die kleine – hik – gevallen haar op?' vroeg mevrouw Worm hoopvol.

'Jammer genoeg niet,' zei Hedwig Kummelsap. 'Maar ze leiden haar wel een poosje af. In de benen dus, mensen. Als we geluk hebben is ze die KLEIBIJSPO's pas

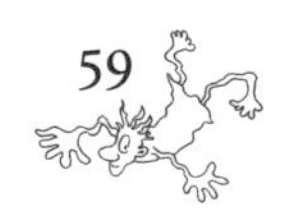

kwijt als wij veilig en wel in de wapenkamer zitten.'

Vermoeid kwamen ze weer in beweging. Sneeuw dwarrelde in hun ogen, de hoofdingang leek mijlenver weg en achter hen was de barones nog steeds boos aan het krijsen. Toen Tom vluchtig omkeek viel juist haar hoofd in de sneeuw. Woedend zette ze het weer op haar nek. Ze schopte naar een van de KLEIBIJSPO's, dat als een voetbal over de kasteelmuur vloog, en at een ander zonder pardon op.

'Waar is Hugo eigenlijk?' riep mevrouw Kummelsap toen ze naast meneer Worm de trap op strompelde.

'Die heeft ze over de muur geblazen!' riep meneer Worm terug. 'Sindsdien hebben we hem niet meer gezien.'

Buiten adem maakte hij de zware deur open.

'Ze komt – hik – weer achter ons aan!' riep mevrouw Worm.

'Tom, spuit zeewater, vlug!' riep mevrouw Kummelsap.

Ze renden zo hard ze konden.

Ze renden door de donkere gangen van het kasteel tot ze dachten dat hun longen zouden barsten. Achter zich hoorden ze de barones vloeken en tieren, maar het zout hield haar even op. Halfdood van vermoeidheid bereikten ze de deur van de wapenkamer.

Op hun laatste benen glipten ze naar binnen. Tom smeerde vlug de deurpost nog een keer in, strooide het laatste zout voor de deur en liet zich uitgeput op de oude bank vallen.

'En als ze er nou toch doorheen komt?' vroeg hij zacht. 'Wat doen we dan?'

'Dan,' zei Hedwig Kummelsap, 'kunnen we alleen

maar hopen dat ze te zwak is om ons vloeibaar te maken. Want om haar nog een keer en dan voorgoed te verjagen hebben we tijd nodig – en nog een paar andere dingen.'

'O god!' riep meneer Worm. De SPOMEG-seismograaf in zijn hand zoemde en knipperde. 'Ze komt dichterbij.'

'We moeten ons opsplitsen!' riep mevrouw Kummelsap. 'Meneer Worm, steek een paar blokken hout uit de haard aan. We nemen er allemaal een. Dat vuur zal ze niet fijn vinden.'

Zo stonden ze daar, ieder in een andere hoek van de kamer, met een brandend houtblok in de hand te wachten. Maar dat duurde niet lang.

Het gekrab aan de deur kenden ze maar al te goed.

'Aaaah!' schreeuwde meneer Worm. 'Haar hand! Daar, haar hand!'

Langzaam, heel langzaam kwam de spokenhand van de barones door het hout van de deur.

'Het zout werkt niet!' fluisterde Tom. 'O help, het houdt haar niet tegen!'

Mevrouw Worm begon zachtjes te snikken.

Maar toen hoorde Tom ook nog iets anders...

Hugo's optreden

'Hoehoehoe!' joelde Hugo op de gang. 'Hoehoe, Jaspara van en tot Keukerschreuk. Weet joi waar ik terechtkwaham? In de slotgrahahaaacht, midden in die sloimerige, stinkende slotgrahaaacht.'

Jaspara trok haar hand terug.

Mevrouw Worm snikte weer, maar nu van opluchting.

'Wat moet je, maaatig mieeeeezerig spooook dat je bent?' hoorden ze de rauwe stem van de barones.

'O Hugo, pas op,' mompelde Tom. 'Pas toch op.'

'Wat ik wihihiiiiil,' suizelde Hugo. 'Jou troiteren, flikkerlicht met je grote mond. Jou een beutje troiteren.'

'Laaaaat dat!' bromde Jaspara. 'Ik heb geen tijd voor grapjesssss. Ik maaaak liever een paaaar stervelingen vloeibaaaaar, zodat ik ze op kan sssslūuuurpen.'

Geruisloos als een indiaan sloop Tom naar het sleutelgat en keek erdoor. Hij kon zijn ogen bijna niet geloven.

Hugo zwabberde vlak voor de neus van de nog steeds behoorlijk grote barones, trok aan haar gewaad, stak zijn tong naar haar uit en gedroeg zich helemaal als een klein kind. Wat was hij van plan?

'Koik eens!' zei hij met een hoog stemmetje. Hij zwaaide wild met zijn ijshanden en had, hup, het hoofd van de barones te pakken.

'Gossie!' zei Tom bewonderend. 'Gossiemijne.'

'Wat?' vroeg meneer Worm met trillende stem. 'Wa-wa-wat gebeurt er?'

'Ik snap er niks van,' zei Tom. 'Hugo heeft haar hoofd.'

'Aaaaaah,' gilde het hoofd. De tanden hapten naar Hugo's vingers, waarop Hugo het hoofd kordaat onder zijn arm klemde.

'Geeeef mijn hoooofd terug!' jammerde de hoofdloze barones. 'En vlug een beeeeetje.'

'Neuheu!' Breed grijnzend zwabberde Hugo voor haar op en neer. 'Kom het maar hahaaaalen.'

'Mieeeezerig, galgroen rotspoooookje!' schold het hoofd, en het spuugde het MES op zijn voeten.

Hugo nam Jaspara's hoofd in beide handen, liet het driemaal op de grond stuiteren als een onsmakelijke basketbal – en gooide het door een raam naar buiten.

'Ga maar zoehoeken!' riep hij tevreden. 'Zoehoek dan! Maar loop niet teugen de muur aan, barones Nietzoslim!'

De onthoofde barones was razend.

Maar Hugo zweefde bliksemsnel langs de maaiende armen en glipte door de muur de wapenkamer in.

'En?' fluisterde hij de sprakeloze Tom in het oor. 'Hoehoe deed ik dat?'

'Geweldig, Hugo!' zei Tom vol bewondering. 'Petje af, man, je was te gek!'

Hij keek nog een keer door het sleutelgat. De barones zweefde jammerend de gang uit op zoek naar haar hoofd – wat zonder ogen natuurlijk helemaal niet meeviel.

'Ze is weg,' zei hij, zich weer naar de anderen omdraaiend. 'Op zoek naar haar hoofd, maar dat kan wel even

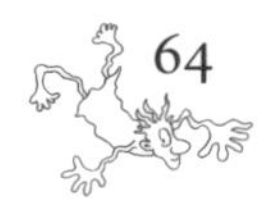

duren. Hugo heeft het namelijk door het raam naar buiten gegooid.'

'Ooooh!' zuchtten meneer en mevrouw Worm, die Hugo bewonderend aangaapten.

'Voortreffelijk, m'n beste,' zei Hedwig Kummelsap. 'Hoe deed je dat?'

'Floitje van een cent,' zei Hugo, maar hij zwol op tot aan het plafond, zo trots was hij. 'Voohoor ze moi de binnenplaats af bliehies, wilde ik haar een complimunt maken en...' hij kleurde roze van verlegenheid, '...en haar hand kussen. Maar opeuns hield ik haahaar vingers in moin hand. Bleuven plakken aan de moine. Zomaahaar.'

'Interessant,' mompelde mevrouw Kummelsap. 'Vertel verder, beste vriend.'

'Daar werd ze beheurlijk kwaahaad om, en ze blies me zo in de grahacht. Daar werd ik weer kwaahaad om, en toen dacht ik, als haahaar vingers bloiven plakken...' hij grinnikte hol, '...dan bloift haar hoohoofd ook plakken.'

'Koppie koppie,' zei Hedwig Kummelsap met een glimlach. 'En je wist natuurlijk ook dat je elk moment door de muur kon ontsnappen, terwijl zij op deuren en ramen aangewezen is, hè?'

'Precies!' zei Hugo. 'Ze is vast nog stoids op zoek naar haar hoohoofd. Dat zit nu onder de sneeuw.' Hugo's bleke lijf trilde van het lachen.

Tom keek mevrouw Kummelsap vragend aan. 'Kunnen we dat niet gebruiken om haar voorgoed te verjagen?'

'Heel wel mogelijk,' zei Hedwig Kummelsap. 'Maar hoe? Daar moeten we over nadenken.' Ze draaide zich

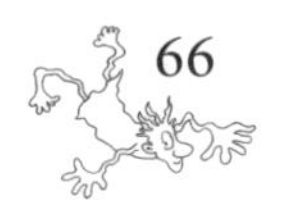

om naar het echtpaar Worm. 'Kom, laten we even gaan zitten. Het is nu...' ze keek op haar horloge, '...bijna half twee. We hebben dus nog wat tijd. Ik wil jullie vertellen over de enige mij bekende verdrijving van een SPOMEDUV met de krachten van onze barones.' Mevrouw Kummelsap wreef over haar puntneus. 'Het is jaren geleden en professor Boccabella, die het kunststuk volbracht, heeft het me persoonlijk verteld. Eerst deed hij wat wij ook deden: hij schakelde de stroom uit, ruimde alle andere energiebronnen uit de weg, zocht stervensuur en plaats van overlijden uit...'

'Plaats van overlijden?' viel meneer Worm haar in de rede. 'Weten we die dan?'

'Ja hoor,' zei Tom. 'Ze is van de ophaalbrug geduwd. Wáár precies, daar kunnen we achterkomen.'

Mevrouw Kummelsap knikte. 'Maar wat dan? Professor Boccabella had een buitengewoon roekeloos maar, zoals bleek, heel effectief idee...'

'O, vertel!' riep mevrouw Worm ademloos.

Het was doodstil in de wapenkamer. Alleen het hout in de open haard knetterde zacht.

'Eerst,' ging mevrouw Kummelsap door, 'eerst lokte Boccabella de uitgehongerde geest met een spoor van strategisch geplaatste batterijen naar de plaats waar hij overleden was. Deze mogelijkheid hebben wij helaas niet. Jaspara zal nu wel geen honger meer hebben. Maar misschien kunnen Hugo's vaardigheden ons verder helpen.'

'O, ik moet voor aahaaas speulen,' suizelde Hugo.

'Eventueel, ja,' zei mevrouw Kummelsap. 'Goed, Boccabella lokte de geest dus naar de juiste plaats. En daar...' Hedwig Kummelsap dempte haar stem, '...daar wachtte

hij hem op in een oud gewaad dat de geest bij leven zelf gedragen had.'

'O, wij – hik – hebben ook een japon van de – hik – barones!' riep mevrouw Worm opgewonden. 'Volgens mij is het – hik – dezelfde die ze op het schilderij aanheeft.'

'Heel mooi.' Hedwig Kummelsap slaakte een zucht van opluchting. 'Dan zou het kunnen lukken.'

'Vertel alstublieft verder!' drong meneer Worm aan. 'Boccabella wachtte de geest op. En toen?'

'Hij had een manhaftig plan,' vervolgde mevrouw Kummelsap haar verhaal. 'Hij wilde de geest uitdagen om hem aan te raken.'

'Maar...' mevrouw Worm sloeg geschrokken een hand voor haar mond, '...was – hik – hij dan niet bang om vloeibaar te worden, en opgeslurpt?'

'Wel, Boccabella wist één ding zeker,' zei mevrouw Kummelsap, 'hij wist dat SPOMEDUVS doodsbang zijn om spullen uit hun sterfelijke verleden aan te raken. Hoe meer en hoe intensiever de SPOMEDUV die spullen bij leven gebruikt heeft, hoe angstiger hij nu elk contact uit de weg gaat. Alleen voor het huis waarin hij woonde geldt het blijkbaar niet. Boccabella heeft SPOMEDUVS verschillende keren voor oude lakens, harnassen of kledingstukken terug zien deinzen alsof ze de duivel zelf waren. Zo kwam hij op het doldrieste plan om zich met het oude gewaad te beschermen tegen vloeibaar worden. Tegelijk hoopte hij dat de geest bij aanraking ter plekke het leven zou laten.'

'En?' vroeg Tom gespannen. 'Lukte het?'

Hedwig Kummelsap knikte. 'De geest verdampte en was weg.'

'Gossiemijne,' mompelde Tom. 'Wel heel dapper van die Boccabella, zeg.'

'Verdampte,' zuchtte Hugo. 'Verdampte en was weg. Wat zohonde! Ik had zo'n ploizier met de barones.'

'O, nu ik eraan denk...' mevrouw Worm sprong op, '...volgens mij – hik – is de japon van de barones hier. Er – hik – zat een gaatje in en ik heb hem – hik – een paar dagen geleden meegenomen om hem te repareren.'

Opgewonden trippelde ze naar de oude kast, die achter een paar gedeukte harnassen stond.

'Ja, ja, hier hangt hij!'

Ze kwam terug met een rood gewaad. Het was overduidelijk de japon die de barones op het portret ook aanhad.

'O jee!' zei Tom. 'Wie past daar nou in?'

'Jij bent te dik, vrees ik, liefste,' zei meneer Worm tegen zijn vrouw. 'En mevrouw Kummelsap is veel te lang.'

'Tja, vroeger waren de mensen een stuk kleiner,' zei Hedwig Kummelsap. 'Als geest is de barones veel groter dan toen ze nog leefde. Hm.' Ze wreef nadenkend over het puntje van haar neus. 'Ik ben bang dat er maar een persoon is die in die jurk past.'

'O ja? Wie dan?' vroeg Tom.

'Jijjjjjj!' suizelde Hugo. 'Wie anders?'

'Ik?' Tom keek de anderen verbijsterd aan. 'Ik? Is dat een geintje? Ik trek die jurk mooi niet aan hoor!'

'Natuurlijk niet.' Hedwig Kummelsap schudde haar hoofd. 'Ik ben het helemaal met je eens. Veel te gevaarlijk. Wie weet of Boccabella's methode bij alle SPOMEDUVS succes heeft? En ik wil je beslist niet in een fles mee naar huis moeten nemen.'

'Dat bedoel ik helemaal niet!' riep Tom. 'Ik bedoel niet dat het me te gevaarlijk is!' Daar had hij nog helemaal niet over nagedacht. 'Maar ik kan toch niet, ik bedoel...' Hij werd knalrood. 'Ik ga toch niet in zo'n vrouwending op de brug staan. Dan...'

Verlegen zette hij zijn bril recht. 'Dan sta ik voor gek.'

'Hiiihiiihii!' grinnikte Hugo, en hij gaf Tom met een ijsvinger een tik op zijn neus. 'Vind je dat nou niet een beutje kinderachtig? Hiiihiiihii!'

'Jij hebt makkelijk praten,' bromde Tom. 'Jij vliegt altijd in zo'n soepjurk rond.'

'Tja,' zei mevrouw Kummelsap. 'Wat dan? We hebben nog een halfuur om iets te verzinnen. Als onze vriendin niet eerder terugkomt. En ze zal behoorlijk kwaad zijn, dat is zeker.'

Ze zwegen bedrukt.

Tom voelde zich naar. Heel naar.

'Oké, oké!' zei hij uiteindelijk. 'Ik doe het wel. Ik trek

dat ding aan. Maar ik hoef toch niet ook nog een pruik op, hè?'

'Een sloier zou niet gek zijn,' zei Hugo. 'Dat zou je heul goed staahaan.'

Mevrouw Kummelsap stond op. 'Hugo, laat hem met rust,' zei ze. 'We moeten voorbereidingen treffen. Mevrouw Worm, kunt u die jurk zo vermaken dat de barones hem niet herkent?'

'Geen – hik – probleem,' zei mevrouw Worm.

'Mooi,' zei mevrouw Kummelsap. 'Begint u dan maar meteen. We hebben niet veel tijd meer.'

Duel op de brug

Het was bijna vier uur toen Tom met mevrouw Kummelsap de ophaalbrug op stapte. Pikzwart hing de nacht boven het oude kasteel, alleen de sneeuw schemerde in het donker. Het sneeuwde niet meer, maar een ijskoude wind streek langs de muren en blies in de klokkentoren van de kapel. Het griezelige gebeier was het enige geluid in de nachtelijke stilte.

Tom huiverde.

Hij voelde zich vreselijk. De japon van de barones fladderde om zijn lijf, en hoewel hij zijn spijkerbroek en trui eronder aanhad stierf hij van de kou. Op zijn hoofd had hij een sluier, zodat de barones niet meteen zou zien met wie ze te maken had.

'Tjongejongejonge!' mompelde Tom. 'Maar goed dat niemand me zo ziet.'

'Ach kom,' zei Hedwig Kummelsap. 'In andere landen lopen mannen altijd in jurken. Zet alsjeblieft de spokenenergie-visualisator aan.'

'Oké.' Tom knipte een voorwerp aan dat sprekend op een zaklamp leek. Maar dan een met een vreemdsoortig blauw peertje. Langzaam liet hij de blauwe straal over de brug gaan.

'Daar!' fluisterde hij. 'Daar moet het gebeurd zijn.'

Helemaal rechts, aan de rand van de brug, lichtte de sneeuw op toen het blauwe licht erop viel. De vlokken

wervelden hoog op en dwarrelden blauw glinsterend omlaag op het zwarte water van de slotgracht. Een zucht voer door de nacht.

'Hebt u iets gevonden?' riep meneer Worm.

Hij zat met zijn vrouw in een roeiboot onder de brug. Ze wilden er nu ook per se tot aan het einde bij zijn.

'Ja, we hebben de plek gevonden!' antwoordde mevrouw Kummelsap. 'Maar nu geen kik meer daar beneden, begrepen? Anders komt de barones straks op ú af en niet op onze goedgeklede vriend hier.'

Tom slikte. Hij zag opeens lange witte vingers voor zich die naar hem graaiden. Vastberaden schudde hij zijn hoofd.

'Is er iets mis?' vroeg mevrouw Kummelsap bezorgd.

'Nee, nee,' antwoordde Tom. 'Eerste regel van de spokenjacht: stel je nooit al te precies voor wat er op je af zou kunnen komen.'

Resoluut nam hij de lange jurk op en ging precies op de plek staan waar eerder de sneeuw opgewerveld was.

Die gaf nog steeds een blauwig licht, maar toen Tom de spokenenergie-visualisator uitzette verdween het schijnsel alsof iemand het had weggeveegd.

Raar idee, dacht Tom, om precies op de plek te staan waar de dood de barones is komen halen. Heel even voelden zijn voeten warm aan.

Mevrouw Kummelsap keek op haar horloge. 'Vijf uur. Tijd dat ze komt. Ben je er klaar voor? Je staat te klappertanden.'

'Dat komt door de kou,' bromde Tom.

'Goed, dan geef ik Hugo het teken!' Met een witte zakdoek zwaaide mevrouw Kummelsap naar de klokkentoren. Daar wachtte Hugo tot hij op moest.

'Luister eens, jonge vriend.' Mevrouw Kummelsap sloeg een arm om Toms schouders. 'Beloof me dat je niet de held zult uithangen. Als je het niet vertrouwt, ren je weg. Of je springt in de gracht. Beloof je dat?'

Tom knikte en keek naar het zwarte water onder hem. Aan de randen van de gracht ontstond al een laagje ijs.

'Het moet wel heel erg worden voor ik dáár in spring,' zei hij. 'In deze jurk zink ik als een baksteen. Geen wonder dat de barones verdronk met al die lappen aan haar lijf.'

'Och, in het ergste geval vissen de Wormpjes je er wel weer uit,' zei mevrouw Kummelsap. 'Maar ik hoop dat zulke maatregelen niet nodig zijn. Boccabella vertelde overigens dat de plek waar de geest hem aanraakte met-

een begon te jeuken. Alsof hij zich geprikt had aan een brandnetel. Als je iets anders voelt dan dat zet je het op een lopen, begrepen? Ik wacht met de auto aan het eind van de brug. Je hoeft dus maar een paar meter te rennen, oké?'

'Ja, duidelijk,' zei Tom.

'Mooi!' Mevrouw Kummelsap gaf hem nog een klopje op zijn schouder. 'Ik zou willen dat ik hier in jouw plaats kon gaan staan, maar ja, mijn vermaledijde lengte...'

'Boeeeeee!' klonk het vanaf de binnenplaats. 'Dit is nu moin kasteeheel. Jaaaaa, van moi, ouwe taahaart. Och, koik toch niet zo boohoohoos. Kom dan, kom je hoofd dan hahaaaaalen, Jaspara!'

'Het is gelukt!' fluisterde mevrouw Kummelsap. 'Hugo heeft haar tevoorschijn gelokt. Nou, veel geluk!'

Toen rende ze vlug naar haar auto.

Tom bleef alleen achter.

De wind blies door zijn vorstelijke gewaad en rukte aan de lange sluier. Tom hoorde Hugo dichterbij komen, steeds dichterbij. En hij wist wie het MES achtervolgde, razend en ijzersterk na een lange nacht: de Bloedige Barones.

'Tralaaa!' floot Hugo, terwijl hij vanuit de donkere poort de kant van de slotgracht op zwabberde. 'Kom hem dan hahaalen, groivin!'

Onder zijn arm zat weer het hoofd van het kasteelspook. Met een gemene grijns zweefde Hugo naar de kantelen van de kasteelmuur. Hij knipoogde naar Tom en zijn gifgroene ogen fonkelden in het donker als de ogen van een uil.

Hugo's achtervolgster liet niet lang op zich wachten.

Met een ijselijke gil stormde de onthoofde barones de brug op. In haar woede flikkerde ze zo hevig dat het water in de gracht er zilver van kleurde. Zoekend maaiden haar armen door de koude lucht. Hugo zweefde geruisloos omlaag en zette haar hoofd weer op haar romp. Achterstevoren. Daarna vloog hij snel terug naar de muur.

'Aaaaaaah!' tierde de barones. 'Luiiiiiizige lolbroek!' Driftig tilde ze haar hoofd op en zette het goed om weer neer. 'Gaat heeeeeen! Hier is geen plaats voor tweeeeee geeeeesten...'

Op dat moment kreeg ze Tom in de gaten.

Als versteend bleef ze in de lucht hangen. Haar ogen plopten bijna uit hun donkere kassen. Het zag er angstaanjagend uit.

'Jijjjjjjjj!' fluisterde ze dreigend. 'Wiehie ben jijjjjj eigenlijk?'

Toms tanden klapperden als een oude schrijfmachine. Geërgerd klemde hij ze op elkaar.

De barones zweefde langzaam op Tom af. Ze was nog steeds reusachtig groot. Tom kwam niet eens tot aan haar navel.

'Waaat moet je hieeeeeer?' snoof ze. 'Dit is mijn terreiiiin, gesnoooopen?'

Tom ademde heel diep in en uit. Tot nu toe werkte het plan. Jaspara had geen idee wie ze voor zich had. En ze was razend van woede. Dat maakte haar blind.

'Hoi Jaspara!' zei Tom met een hoog stemmetje. 'Wat ziehie je er afgrijhijselijk uit. Zoals altijjjjjjd.'

Verdorie, wat was het moeilijk om als een spook te praten.

'Waaaaat?' krijste Jaspara. 'Waaaat zeg je daaaar, paddenkop?'

Jaspara stond nu zo dichtbij dat Tom haar had kunnen aanraken. Haar smerige bedorven geur benam hem bijna de adem. Maar als hij ook maar één stap van de plek deed waar het lot Jaspara destijds had ingehaald, was alles verloren.

Dus raapte Tom al zijn moed bij elkaar en ging door met pesten: 'Naaaarling die je behent!' riep hij met een hoge piepstem. 'Overjaaaaarig misbaksel!'

Op dat moment ging de barones in de aanval.

Ze graaide naar Toms sluier en trok het ding in één beweging van zijn hoofd.

'Aaaah!' Verrast deinsde ze achteruit. 'Waaaat is diiiit? Waaaat moet daaaat? Waaaat voor spel speeheel jij met mij, kleine ukkepuhuk? Met mijhij, Jaspara van Duisterbeeerg tot Kikkersteihein?'

Wat moest Tom daarop zeggen? Dat hij van plan was om haar te vernietigen, in rook op te laten gaan?

Het is gebeurd met me, dacht hij, en nou heb ik nog zo'n stomme jurk aan ook! Maar ach, als ze een plasje van me maakt, doet dat er ook niet meer toe.

'Lopen, Tom!' riep mevrouw Kummelsap door het geopende autoraampje. 'Vlug!'

Maar Tom piekerde er niet over. Die Boccabella was tenslotte ook niet weggerend. In plaats daarvan riep hij met trillende stem: 'Wegwezen jij!' Hij moest zijn hoofd in zijn nek leggen om de barones in haar kwaaie rode ogen te kijken. 'Wegwezen! Als mens was je al een monster, maar als spook sla je echt alles!'

'O jaaaa?' loeide Jaspara, en ze boog zich over hem heen. Tom verstijfde. Hij kreeg het zo koud dat hij nau-

welijks nog iets voelde. Geen wind, geen angst – en zijn voeten al helemaal niet.

Mevrouw Kummelsap sprong uit de auto en kwam op hem af gerend. Maar vlak voor de brug gleed ze uit over een dichtgevroren plas en plonsde halsoverkop in de slotgracht.

'Hierheen!' hoorde Tom meneer Worm roepen. 'Hierheen, mevrouw Kummelsap!'

De Bloedige Barones lette helemaal niet op het tumult in de slotgracht. Ze had alleen oog voor Tom. Ze boog zich steeds verder over hem heen, met een zo intens gemeen lachje dat Tom weer onbeheerst begon te klappertanden.

'Laahaaat hem met ruhuhust!' joelde Hugo opeens. Blauw van woede kwam hij van de kasteelmuur omlaag gefladderd. 'Laahaat hem met ruuuuuuuust!'

'Ach? Vind je dat kleintje aaaaardig?' blies Jaspara vals. 'Kijk dan maaaaar eens wat ik met hem doeeeeee.'

Hugo graaide weer naar haar hoofd, maar deze keer was Jaspara erop bedacht. Krijsend draaide ze zich om, haalde diep adem en blies het MES de dichtstbijzijnde boom in.

Heel fijn, dacht Tom, misschien moet ik nu ook maar wegwezen. Maar zijn voeten kwamen niet van hun plaats.

'Zoooo!' riep de Bloedige Barones, en ze keek hem met haar fonkelende rode ogen aan. Die ogen had hij bij aankomst op het kasteel al op zich gericht gevoeld.

'Waaaat had je nouuuuu, knulletje?' Weer lachte ze haar afgrijselijke lach. 'Ik gaaaa je opsssslurpen! Aaaaah, waaat zal jij me sssssmaaaaaken.'

Ze stak haar handen naar hem uit.

Als de klauwen van een roofvogel sloten haar bleke vingers zich om Toms armen. Daarbij raakten ze ook de japon – de japon die haar menselijke lichaam warm had gehouden. Honderden jaren geleden.

Tom kreeg onmiddellijk jeuk, precies zoals de beroemde Boccabella het beschreven had.

'Ieeeeeeeoeeeeh!' Jaspara begon zo oorverdovend te krijsen dat Tom zijn handen voor zijn oren sloeg.

Maar het gruwelijke gesis hoorde hij toch – het gesis waarmee Jaspara oploste. Eerst werd ze zo doorzichtig als melkglas. Toen viel ze als een versleten lap stof uit elkaar en waaide weg op de wind.

Een welverdiende vakantie

'Tom!' riep mevrouw Kummelsap van onder de brug. 'Tom, waar ben je?'

'Alles goed!' riep Tom, hoewel zijn stem helemaal niet klonk alsof alles goed was.

'Bravooo!' riep Hugo in zijn boom. 'Ze is verdahahampt! Heulemaal verdampt!'

Tom liep met knikkende knieën naar de leuning en keek naar beneden.

'O, wat een genoegen om je te zien, jongeman!' riep meneer Worm, die de lantaarn omhooghield. Naast hem zaten zijn vrouw en de drijfnatte mevrouw Kummelsap.

'Het was zo'n vreselijk – hik – lawaai daarboven!' riep mevrouw Worm. 'We maakten ons – hik – zo'n zorgen.'

'Ze is weg,' zei Tom. 'Opgelost, weggewaaid, foetsie. Professor Boccabella's methode werkte prima!'

Mevrouw Kummelsap snoot haar druipende neus. 'Mijn lieve Tom,' zei ze, 'je bent een schrikbarend dapper mens! Hoe kon je daar zo doodkalm blijven staan toen ze je sluier van je hoofd trok? Het is me wat moois.'

'Ach, nou ja,' mompelde Tom verlegen. 'Het viel wel mee hoor.'

'Het viel wel mee?' riep mevrouw Kummelsap. 'Het was het lichtzinnigste, zotste en moedigste wat ik ooit heb gezien. Mijn oude hart stond bijna stil. En dan val ik

ook nog in de slotgracht. Wat een blamage!' Ze bekeek zichzelf hoofdschuddend. 'Nou ja, niet meer aan denken. Misschien moet ik dit zenuwslopende beroep eraan geven en mijn memoires gaan schrijven.'

'Wat?' Tom moest verschrikkelijk niezen. 'Nee zeg, alsjeblieft niet. Maar kunnen we nu misschien de warmte in gaan? Als mijn tanden zo blijven klapperen vallen ze straks nog uit.'

'Ja natuurlijk!' riep meneer Worm. 'Meteen! Stante pede! Alleen...' hij kuchte verlegen, '...heb ik van schrik de roeispanen in het water laten vallen. Zou meneer Hugo zo vriendelijk willen zijn ons naar de kant te trekken?'

Dat wilde Hugo, en terwijl Tom zich warmde voor de open haard maakte mevrouw Worm in de kasteelkeuken een heerlijk ontbijt klaar.

Buiten brak een koude, grijze dag aan, maar in de grote keuken was het warm en gezellig. Het rook er naar chocolademelk en gebakken eieren, en Tom voelde zich van zijn kruintje tot in zijn tenen kiplekker. Zoals helden zich wel vaker voelen...

Ze zaten met z'n allen aan de lange houten tafel waaraan vroeger de bedienden zaten, aten wentelteefjes, krentenbollen met aardbeienjam en eieren op geroosterd brood.

Hugo vertelde nog eens in geuren en kleuren hoe Tom die akelige barones naar de andere wereld geholpen had. Vanuit zijn boom had het MES natuurlijk een eersteklas uitzicht op de gebeurtenissen gehad.

'Ik drink op Tom Tomsky!' Hugo hief zijn glas. 'De beste geustenverdamper allertoiden!'

'Ach, hou op.' Tom werd zo rood als een kreeft.

Maar Hugo was nog niet klaar. 'En ik drink,' zei hij, slurpend van het ijswater dat mevrouw Worm hem voorgezet had, 'op de Bloehoedige Barones. Ze was een afschuwelijk, vroiselijk spoik. En zo lekker humorloohoos.' Hij lachte hol. 'Kon heulemaal niet tegen een grapje. Maar dan ook heulemaal niet.'

'Ik zou het ook niet zo leuk vinden als iemand de hele tijd mijn kop eraf trok,' zei Tom, terwijl hij boter op zijn vierde krentenbol smeerde. Hij kreeg altijd enorme honger van het spokenjagen.

'Neu?' vroeg Hugo. 'Tsss, raar.'

En – hops – daar had hij Toms bril van zijn neus gegrist.

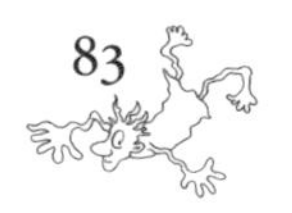

'Hugo!' kreunde Tom. 'Hou op met die ongein. Geef m'n bril terug.'

'Neuheu!' Hugo zwabberde lachend naar het plafond. 'Alleun als je die jurk nog een keer aantrekt. Die stond je zohooo schattig.'

'Mevrouw Worm,' vroeg Tom. 'Mag ik een paar rauwe eieren?'

'Okeu, okeu,' riep Hugo, en hij kwam vlug weer omlaag gefladderd. Zoals alle MEssen kreeg hij de bibbers als hij alleen maar een rauw ei zag. Kribbig zette hij de bril weer op Toms neus.

Tom slaakte een diepe zucht. 'Ik denk dat ik mijn buik nu wel even vol heb van spoken. Kunnen Kummelsap &

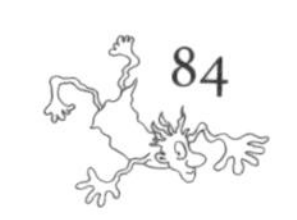

Co niet een paar dagen vakantie houden?'

'Dat zal niet gaan,' zei mevrouw Kummelsap. 'Ik heb voor volgende week al een opdracht aangenomen. Een STIKLOGEE in een school. Maar dat kunnen Hugo en ik ook wel alleen af.'

'Nee, dat hoeft niet,' zei Tom. 'STIKLOGEES zijn niet gevaarlijk. Bovendien moet ik er nog een hebben voor mijn spokenjagersDiploma-B.'

'Wat – hik – is een STIKLOGEE?' vroeg mevrouw Worm.

'Een STInkende KLOpGEESt,' zei Tom. 'Irritant, maar ongevaarlijk.'

'En dohohom,' suizelde Hugo. 'Onwaarschijnlijk dohom.'

Mevrouw Kummelsap knikte. 'Nogal. Maar ik beloof je, lieve Tom, dat we daarna twee weken vakantie houden. Afgesproken?'

'Afgesproken,' zei Tom, maar hij dacht dat twee weken helemaal zonder spoken misschien toch wel een beetje saai zouden zijn...

LIJST VAN AFKORTINGEN UIT HET GROTE SPOKENBOEK

CBBS	Centraal Bureau ter Bestrijding van Spoken
COCOMP-val	COntact-COMPressie-val
DANEG	DAmpige NEvelGeest
DBBK	Dienst Bestrijding Burcht- en Kasteelspoken
DONSPOV	Dienst ONderzoek SPOOkVerschijningen
GONSP	Geheel en al ONschuldig SPook
GRAZWAG	GRAuwwitte ZWAbberGeest
GROBLISPO	GRiezelig Onverslaanbaar BLIksemSPOok
HISPOV	HIstorische SPOokVerschijning
KLEIBIJSPO	KLEIn BIJtend SPOokje
KOS	Kliniek voor Ontspoking van Spokenjagers
MES	Matig Eng Spook
MOWAG	MOdderWAterGeest
NEGEM	NEvelGEstaltenMaker
NENEU-gordel	NEgatief-NEUtralisator-gordel
NEPROSPOV	NEgatief PROjectie van een SPOokVerschijning
ONS	ONderzoeksinstituut voor Spokenbestrijding
RABS	Register van Alle Bekende Spookverschijningen
SD-A	SpokenjagersDiploma-A
SD-B	SpokenjagersDiploma-B
SD-C	SpokenjagersDiploma-C

SPEG-melder	spokenenergie-melder
SPOMEDUV	spook met duister verleden
SPOMEG	spook in mensengedaante
SPS-vermomming	spook-simulatie-vermomming
STIKLOGEE	stinkende klopgeest
VES	vreselijk eng spook
WWW	wervelwindwervelaar
ZOMOES	zomp- en moerasspook
ZSH	zwarte spookhonden

Lees ook de andere boeken over De spokenjagers

De spokenjagers

Op een avond doet Tom een afschuwelijke ontdekking. Er zit een spook in de kelder! Het is slijmerig en jammert vreselijk. Tom is doodsbang en hij vlucht naar boven. Maar hij wordt uitgelachen als hij over het spook vertelt. Er is maar één iemand die hem gelooft: Hedwig Kummelsap. Zij heeft veel ervaring als spokenjager en weet precies waar spoken bang voor zijn. Kan zij Tom helpen?

De spokenjagers en het vuurspook

Grote paniek in hotel de Strandparel! De hotelgasten schrikken 's nachts wakker van vreemde verschijningen en er hangt een vage brandlucht. Dus is het tijd om de spokenjagers in te schakelen. Hedwig Kummelsap, Tom Tomsky en het MAtig ENge spook (MES) Hugo komen in het luxe hotel logeren. Als ze de lift naar boven nemen wordt de vloer gloeiend heet en verschijnt er opeens een enorme hand waar de vlammen vanaf slaan: het moet een GROBLISPO (GRiezelig ONverslaanbaar BLIksemSPOok) zijn. Wat nu?